\ 世界でいちばんやさしい /

教養の教科書

［人文・社会の教養］

［著］児玉克順　［絵］fancomi

Gakken

新しい知は先人の知をもとにして生まれる

新しい「**思考**」や「**思想**」は、ゼロから生まれるのではありません。学問の各分野で「主流となった思想（パラダイム）」の変遷をながめていくと、たとえ革新的な思想であったとしても、先人の思想と決して無関係でないことが分かります。「新しい知は先人の知をもとにして生まれる」ものであり、それゆえ**先人の思考を学ぶことは今や未来を生き抜くヒントとなる**のです。

本書は、各分野の教養を時系列にそって「**ストーリー形式**」で説明した「**教養の教科書**」です。たくさんのイラストや図解、キーワード解説を駆使し、「分かりやすさ」と「正しさ」の間で平衡（バランス）をとることを常に意識しながら解説しました。本書を読むことで、各分野のキーパーソンが唱えた主張を時代の流れにそって分かりやすく学ぶことができます。そして、いま目の前にある現実、すなわち**「現代」を解釈する力**が得られます。

本書から得られる効果❶
☑ 先人の思考や思想から「知」と「思考の枠組み」が得られる
☑ 目の前の事象に自分なりの「解釈」ができるようになる
☑ 自分なりの解釈をもとに新たな「アイデア」が生み出せるようになる

先人の知をもとにして世界の理解が深まる

人が文章を読んだり，新聞やニュースに触れたりするとき、その内容をそのまま理解することはできません。既知の情報（記憶）とその内容を結びつけることで理解しているのです。そのため、難解な文章やニュースを深く理解するためには、理解の前提となる「背景知識」を知っていることがきわめて重要な意味をもちます。言い換えれば、**背景知識となる「教養」がより高度な知を獲得するための武器になる**のです。

本書は難解な文章の理解に必要な背景知識を得る目的で執筆しました。イラストや図解を駆使し徹底的にかみくだいた解説により、**類似ジャンルの文章を読んだときに理解の前提となる記憶が発動されやすくなる**よう工夫しています。

したがって、本書を読むことで、本書よりももっと難解な教養本や、かつて難しすぎて挫折した本の理解をずっと楽にすることができます。くわえて、新聞やニュースの内容の把握が容易になります。
なお、本書の巻末に、「もっと教養を深めたい人のためのブックガイド」を用意しました。次の本に手をのばすご参考に、お役立てください。

本書から得られる効果❷
☑ 本書より少し難しめな教養本の理解の手助けができる
☑ かつて難しすぎて挫折してしまった本へのリベンジができる
☑ 新聞やニュースの理解をもっと深めることができる

本書をきっかけにさらなる読書の旅へ

本書は、**一度読んで面白く、二度読んで考えさせられ、三度読んで新たな発見を得る**、そういう「深さ」を持っています。ぜひ何度も読み返してみてください。また、本書を読んだことをきっかけに、きっとさまざまな本をもっともっと読みたくなるでしょう。読書でつまずいてしまった――そんなときには、ふたたび本書に手をのばし、ページを開いてみてください。本書の「深さ」に気付くはずです。「教科書」とは本来みな、そういうものなのです。

著者
児玉克順

Gakken編集部より
本書は『世界でいちばんやさしい 教養の教科書』(Gakken／2019年)をもとに、一部記述を加えて再編集し、書籍化したものです。本書がみなさまの教養を豊かにするための一助となれば幸いです。

STEP.1

教養を豊かにする

本書では、各章を二段階のステップに分け、マクロの視点からミクロの視点へ
と順に学習を進めていくことで無理なく教養を深められるように構成してい
ます。はじめに、各分野の教養を「ストーリー」として学習します。ここでは、各
分野の思想の「流れ」をイラスト図解と文章による説明で徹底的にかみくだき、
楽しく分かりやすく解説しています。

STEP.2

重要用語と重要人物を掘り下げる

その分野の思想の流れをおさえたら、次にその分野をより深く理解するのに必要なキーワードを学習します。ここで扱われるキーワードはすべて STEP.1 のストーリー説明の中に登場しています。STEP.1 でおさえたストーリーの理解と結びつけてキーワードを学習することで、単に「知っている」というだけでなく「使いこなせる」ようになります。

もくじ
CONTENTS

1
Chapter.

The Most Intelligible Guide
of General Knowledge in the World

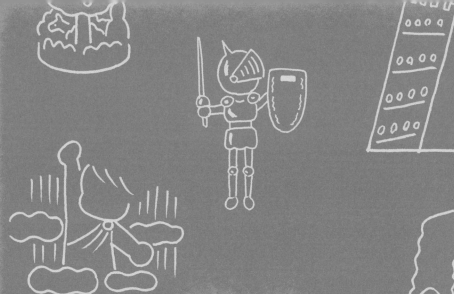

歴史
History

「大きな物語」の終焉とは何か

この章では、「中世」「近代」「現代」という時代区分に合わせて、今後の全ての章に関連する大きな出来事をまずはお話していきます。そして中世から近代に生まれた「大きな物語」がどのように広がり、そして終わりを迎えたかを学んでいきます。

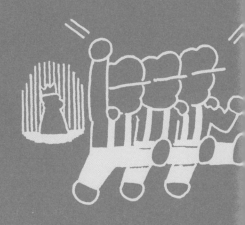

ENRICH YOUR EDUCATION

教養を豊かにする

🔍 登場する主なキーワード

☑封建制	☑宗教改革	☑啓蒙思想	☑ルネサンス
☑大航海時代	☑帝国主義	☑市民革命	☑産業革命
☑国民国家	☑イデオロギー	☑冷戦	☑グルーバル化
☑戦後復興	☑バブル経済	☑失われた20年	

1-1 時代区分
―時代の区分はどの分野の文章かによって異なる―

ここでは、世界史・日本史・哲学における「 中世 ❶ 」「 近世 ❷ 」「 近代 ❸ 」「 現代 ❹ 」の時代区分を紹介します。実は時代の区分には明確な定義はありません。ですから、取り扱う分野によって、同じ年代でも時代の区分が違う場合があります。この Chapter で時代の流れをおおまかに把握しておいてください。また、次章以降を読んでいくうえで、時代の流れに混乱したら、ここに戻って再確認するといいでしょう。

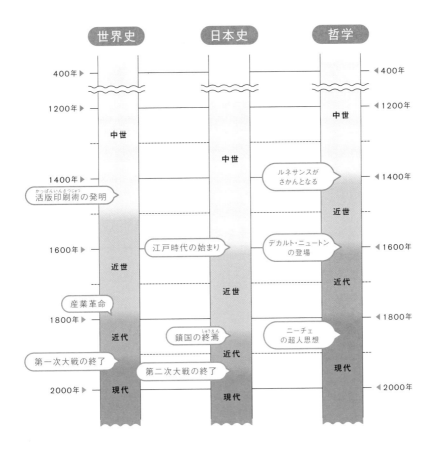

1 世界史

まずは世界標準に近い「世界史」から確認しましょう。次章以降に登場する主要な歴史的出来事も挙げておきます。章末のキーワードと照らし合わせて理解を深めましょう。

中世:5世紀ごろ(400年代)～15世紀ごろ(1400年代)

[封建制]

「中世」は主に **封建制** **5** が中心となる時代とされている。

[活版印刷]

活版印刷術 **6** が15世紀に発明されたことにより、その後、民衆に聖書が大量に広まる。➡教会の権威が低下し、個人の信仰の自由へとつながる(16世紀の **宗教改革** **7** へ)。

個人の考えを大衆に広め共有することが可能に。➡ **啓蒙思想** **8** につながる。

近世:16世紀ごろ(1500年代)～18世紀ごろ(1700年代)

[ルネサンス]

[宗教改革]

[大航海時代]

「近世」は、**ルネサンス** **9** ・宗教改革・**大航海時代** **10** を経て、「近代」の市民社会や **帝国主義** **11** ができあがる下準備ができていった。

近代：19世紀ごろ（1800年代）〜20世紀前半ごろ（第一次世界大戦終了〔1918年〕）

※「近代」を冷戦終了までとする捉え方もある。

[**市民革命**]　　　　　[**産業革命**]　　　　　[**帝国主義**]

「近代」は、**市民革命** 12 による市民社会、**産業革命** 13 による産業資本主義社会、
帝国主義による **国民国家** 14 を特徴とする時代とされる。

（➡詳しくは Chap.07 ）

現代：20世紀前半ごろ（第一次世界大戦終了後〔1918年〕）〜現在（2000年代）

※「現代」を冷戦終了からとする捉え方もある。

[**冷戦**]　　　　　[**グローバル化**]　　　　　[**新たな問題**]

「現代」は二つの大きな **イデオロギー** 15 対立である **冷戦** 16 から、
グローバル化 17 を経て、新たな問題をつきつけられている。

| History

② 日本史

次は「日本史」です。日本史は小学校のころから学習しているので、なじみ深い分野ですね。詳しくは『 Chap.8 日本』でお話ししますので、ここでは時代の区分と特徴をおおまかに説明するにとどめます。

中世：12世紀ごろ（1100年代）〜16世紀ごろ（1500年代）

[院政後期〜室町時代]

日本における「中世」は争いが絶えず、人々は安定を求めていた。

近世：17世紀ごろ（1600年代）〜19世紀ごろ（1800年代）

※「近世」を安土桃山時代からとする捉え方もある。

[江戸時代]

士　　　　　農　　　　　工　　　　　商

江戸時代 18 は、約260年もの間の安定した平和の中で庶民の文化が発展した。

近代：19世紀ごろ（1800年代）～20世紀前半ごろ（第二次世界大戦終了〔1945年〕）

[近代化]　　　　　　　[国民国家／帝国主義]

日本は欧米と同様の近代国家へと進んでいった。

現代：20世紀前半ごろ（第二次世界大戦終了後〔1945年〕）～現在（2000年代）

[バブル経済]　　　　　　[失われた20年]

日本は **戦後復興** **19** を経て経済成長を続け、1990年ごろに **バブル経済** **20** を迎えるが、バブル崩壊後は進むべき道に迷い続けて、**失われた20年** **21** に突入する。

③ 哲学

哲学の場合、同じ時期の出来事でも、ものによって時代区分の捉え方が異なることが多くありますので、大まかな流れとして捉えるようにしましょう。詳しくは、『 Chap.2 哲学』でお話しします。

近代:17世紀ごろ〜18世紀ごろ　　　　**移行期**:19世紀ごろ

※最近では、ここを世界史と同様に「近世」とする捉え方もある。

[心身二元論（しんしんにげん）／弁証法（べんしょう）]　　[超人思想／実存主義]

心身二元論 22 や **弁証法** 23 など、理性や精神の高みを目指す研究が行われた。

超人思想 24 や **実存主義** 25 など、自らの生き方や存在を重視した。

現代:20世紀ごろ

※最近では、ここを世界史と同様に「近代」とする捉え方もある。

[構造主義／ポスト構造主義]

私たちを包む見えないからくり（構造）を捉えようとする **構造主義** 26 と、さらにその考えを乗り越えようとする **ポスト構造主義** 27 の考え方が広まった。

おおまかに時代の区分が把握できたでしょうか。今後、この本やほかの様々な本を読む際に、「中世」や「近代」などという時代区分が出てきたら、「ああ、あの辺の時代だな」と見当をつけながら読むと、文章の内容がイメージしやすくなるでしょう。

1-2 時代の流れ 1
—大きな物語の誕生—

時代の区分が見えてきたら、今度は「世界史」「哲学」における、各時代の人々のありようを分かりやすく追いかけていきます。中世から近代にかけて、どのようにして「大きな 物語 28 」ができあがり、そしてどのようにして終焉を迎えるのか、流れをなるべくコンパクトにまとめて説明していきます。

1 中世以前の時代

中世以前の世界を見ていくうえで、まず私たちが理解しておくべきことは、**当時の人々にとって「神(神々)」が存在することは当たり前のことだった**ということです。そして、当時の世界における様々な地域の**支配者は、ほぼ必ず「神と何らかの関係を持った存在」**として君臨していました。

[神にまつわる儀式]

神が人々の生活に密接にかかわる社会では、
神にまつわる儀式が数多く存在し、長となる人物がそれを仕切っていた。

一般に中世の定義は〈「封建制」が中心だった時代〉とされます。「封建制」とは、平たくいえば、「**権力者が支配するシステム**」ですが、その権力者が**人々を支配しやすくするために**「**神**」**を用いていた**わけです。したがって、中世以前の世界は、「神とのかかわりが中心であった時代」といえます。

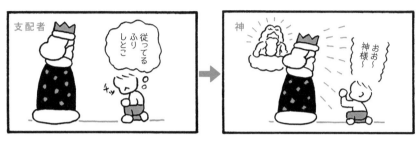

支配者が人々を統治するのが封建制だが、誰もが心から従うとは限らない。

神の後ろ盾を得た支配者の統治ならば、人々は心から従いやすい。

どのような規模の社会であれ、人と人との間には共通した「正しさ」の基準がなければ、社会は成り立ちません。しかし、絶対的な正しさなんてものはありませんし、みんなに同じ「正しさ」を共有させることはとても難しいことです。そこで、**人々に正しさを共有させることのできる基準として**「**神（の教え）**」**が必要だった**というわけです。

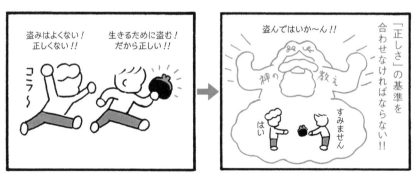

人によって正しさの基準が違うと社会が成り立たない。

神の教え（ 神話 ②9 や聖典）を「正しさ」の基準にすることで、それを共有する人たちの「正しさ」も共有される。

このように、中世以前の世界において、人々にとっての「正しさ」の基準は、「神の教え」であり、それにより社会が成り立っていたといえます。しかし、同時に、支配のために「神」の存在が利用されていたともいえるのです。

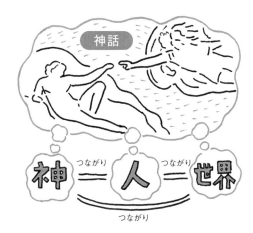

神話・聖典などの「物語」の共有によって、人々や世界、
そして神とのつながりを感じられる。

自分たちの宗教を無理やり信じさせることにより、
植民地においても「正しさ」の共有がなされ、結果、支配がたやすくなる。

② 近世の時代

中世以前の世界では「神とのかかわり」が中心でした。しかし、時が経ち、近世になるにつれて、「人の存在」が大きくなっていきました。なぜなら、人の地位が高くなってきたからです。

様々な人たちの地位が上がることで、
人の「人としてできること」に対する意識が高まっていく。

こうして人々は「神の教えに従うこと」よりも、**「人ができることを追求すること」に価値を置く**ようになります。やがてこれが、「近代」という時代につながっていきます。

③ デカルトとニュートン

17世紀になって、西欧世界は大きく変わりました。きっかけは、**デカルト** ①と**ニュートン** ② といわれています。

[デカルト]

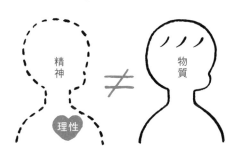

デカルトは「精神」と「物質」を分けて考え、精神には崇高な「**理性** 30」があると考えた。

[ニュートン]

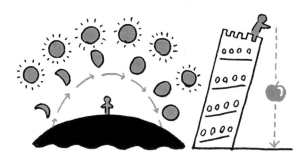

科学は、コペルニクス、ガリレイを経てニュートンに至ると、「神とのかかわり」を抜きにして考えられるようになる。そして、**対象** 31 を観察・分析し、「**法則** 32」を見出すことを目的とするようになった。

人間の「理性」によって物質の「法則」を明らかにしていこう。➡近代科学へ

❹ 近代合理主義の誕生

デカルトをきっかけにして、世界は「精神」と「物質」に分けられました。そして、ニュートンをきっかけにして、科学は「神」や「精神」を抜きにした「物質」の「法則」を研究対象にしました。

神や人間を抜きにした万物の世界は皆、
合理的法則にのっとっている。
（例:太陽系の惑星の軌道）

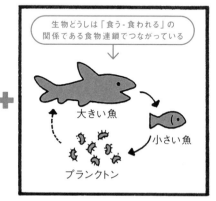

人間を抜きにした生物の世界は皆、
合理的法則にのっとっている。
（例:食物連鎖）

「精神」を抜きにして研究してみた「物質界」は、どれもが皆、合理的・法則的にできていた!!

世界はすべて「 普遍 ㉝ 的」なのでは？ ➡ 新たな「正しさ」の基準へ

人々はこう考えました。「**世界は実はすべて合理的にできている**のではないか。何らかの**法則にのっとってできている**のではないか。ならば、科学を発展させることによって、**世界のすべてを合理的・法則的に把握することができる**のではないか。そして得られた 合理性 ㉞ や法則性に合わせた世界をつくれば、**世界は幸せになれるのではないか**」と。これが、現在なお続いている 近代合理主義 ㉟ の基本的なあり方です。

⑤ 大きな物語

近代合理主義における「正しさ」の基準は「科学性」「合理性」です。これらに、宗教による違いは関係ありません。時代による違いもありません。「正しさ」の基準は「**普遍的**」なのです。

[中世以前の正しさ]

地域が違えば宗教の教義も文化も違う。よって「正しさ」の基準も違う。
➡ 人の生き方（人生の「物語」）も違ってくる!!

[近代以降の正しさ]

法則や合理性は地域により変わることはなく、「正しさ」の基準が「普遍的」になる。
➡ 人の生き方（人生の「物語」）も共通してくる!!

そして、**大航海時代**から**帝国主義**の植民地支配を経て、西欧の世界支配が進行します。

[啓蒙思想／宗教改革]

活版印刷術により、多くの民衆に対して自らの思想や知識を教え広めることができるようになる。
➡「物語」の共有へ

[大航海時代]

ヨーロッパ人の啓蒙思想は大航海時代を経て、世界に広がっていく。そしてその教えは、すべての地域で共有できる普遍的なものだった（近代合理主義）。
➡「大きな物語」へ

さらに科学技術が日進月歩で発達していくことで、その恩恵を受ける人々は物質的に豊かな生活を手に入れていきます。

走るよ〜光るよ〜
便利だよ〜

ほし〜〜!!
すげ〜〜!!

科学技術が発達してできあがったモノは、誰もが欲しがる便利なモノ。
これら便利なモノに囲まれた生活を誰もが求めるようになる。
➡「大きな物語」へ

こうして近代合理主義が世界的に広まっていくことで、世界中の国々は科学の発達した豊かな物質文明を「理想(正しさ)」だと考えて、それを目指していくことになりました。

未開　途上国　先進国

歴史

科学の発達した物質文明へ

世界中の国々が最終的には科学文明という同じゴールに向かう。
科学を発達させることで世界はよくなっていく(進歩主義 36)。

このように、個人や社会が同じ価値観(正しさ)を共有することで、人生のストーリーが皆同様になることを、「**大きな物語**」といいます。

また、誰もが皆、同じ未来に進歩していくと考えるようになると、そこには不安や恐れが生まれます。自分ひとりが皆とは違う生き方をすると、自分だけが道を踏み外してしまうのではないか、という不安です。そこで人々は「自分らしさ」ではなく**「皆が正しいと思う人生」を目指していく**ようになり、**誰もが同じ人生の「物語」を目指す**ようになりました。

「皆が追いかけるモノ」を追いかけ、「皆が欲しがるモノ」を欲しがる。
この「欲望の本質」と相まって、「大きな物語」は
19世紀末から20世紀後半にかけて主流となる。

1-3 時代の流れ 2
—大きな物語の終焉—

❶ 大きな物語への疑い

20世紀になって、誰もが理想とした「科学の発達した豊かな物質文明」がだんだんと形になっていきました。しかし、それが形になっていくにつれて、**これらが抱える負の側面**も明らかになっていきました。

[合理化された生活]

[環境問題]

[戦 争]

20世紀ごろから、近代合理主義の問題点が明らかになり、
「正しさ」の基準が揺らぎはじめる。

これはある意味当然の結果です。なぜなら、「大きな物語」は、人間らしさをかえりみないものだったからです。

[モダニズム建築]

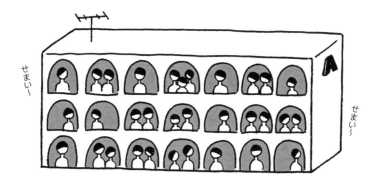

箱型建築ともいわれる。せまい土地に多くの居住スペースをつくるという点では「合理的」だが、**居住者それぞれの生活は抜きにして考えられている。**

[物 質 的 豊 か さ]

物質的に恵まれた生活は、思ったよりも人を幸せにはしなかった。
そこには、人とのかかわりで得られる**精神的な豊かさが考えられていなかった。**

② 小さな物語

こうして、近代合理主義において信じられてきた「科学性」「合理性」という「正しさ」の基準も疑われるようになりました。するとふたたび、人々は誰もが共有できる「正しさ」の基準を見失ってしまったのです。そこで、**自分なりの「生き方」や「正しさ」を自ら探さなければならなくなった**のです。

[中世以前]
地域ごと（中規模）の「物語」

[近代合理主義]
皆が同じ道を求める「大きな物語」

[ポストモダン状況]
皆に共通する「正しさ」の基準がなくなり、自分なりの「生き方」や「正しさ」を求める「小さな物語」

価値観の多様化へ

このように、**一人一人が自分なりの人生の「物語」を生きることを、「小さな物語」**といいます。そして近代合理主義の「正しさ」が疑われて、**新たな「正しさ」の基準が見つかっていない状況**を、 ポストモダン状況 ③⑦ といいます。

③ かつての「正しさ」への依存

一人一人が、何にも縛られずに自分なりの生き方を生きる。これはとても理想的ですばらしいことかもしれません。しかし、残念ながら自分なりの「正しさ」の基準を自分自身で用意して、自分なりの「物語」を生きることのできる人は、そうはいません。普通の人は「何が正しいのか分からない不安」でいっぱいになり、何もできない アイデンティティークライシス ㊳ に陥ります。そこで人はその不安から逃れるために、**かつての「正しさ」にすがろう**とします。

[ポストモダン状況]   [アイデンティティークライシス]

自分なりの「正しさ」を生きるポストモダンは 一見すると理想的。   しかし、「正しさ」や「生き方」を自分自身で 導き出し、実行できる人はそうそういない。

結局、近代合理主義を疑いながらも依存し続けるか、 宗教を信仰するなど、「かつての正しさ」に頼るしかない。

このように考えると、現代という時代の正体は、**「かつての正しさがおかしいと分かっていながらも、それにすがって生きざるを得ない時代」**といえるかもしれません。

KEYWORD & KEYPERSON
重要用語と重要人物を掘り下げる

中世以前では地域・時代ごとの「神の教え」が「正しさ」の基準でしたが、近世からは「科学的・合理的」であることが「普遍的な正しさ」と思いこみ、誰もがそれを追いかけるようになりました。これが「大きな物語」です。しかし、それは現代の多様な世界では通じなくなり、人はそれぞれの「小さな物語」を生きなければならなくなったのです。

1-1
時代区分
時代の区分はどの分野の文章かによって異なる

KEYWORD

❶ 中世
middle ages

世界史：主に5世紀ごろから15世紀ごろまでの時代を指す。

➡神への信仰と封建制を中心とした時代。

日本史：主に院政後期から室町時代末まで（12世紀ごろから16世紀ごろまで）を指す。

❷ 近世
early modern period

世界史：主に16世紀ごろから18世紀ごろまでの時代を指す。

➡絶対王政の確立を経て、それをくつがえす市民革命へと変化する時代。

日本史：主に江戸時代（17世紀ごろから19世紀ごろまで）を指す。

❸ 近代
modern period

世界史：主に19世紀ごろから20世紀前半ごろ（第一次世界大戦終了）までの時代を指す。

➡産業革命を経て、第一次世界大戦が起こった時代。

日本史：主に明治維新から第二次世界大戦終了（19世紀ごろから20世紀前半ごろ）までを指す。

❹ 現代
modern / today

世界史：主に20世紀前半ごろ（第一次世界大戦終了後）から現在までの時代を指す。

日本史：主に20世紀前半ごろ（第二次世界大戦終了後）から現在までの時代を指す。

➡世界大戦終了から冷戦を経て、現代は価値観の多様化した時代となっている。

❺ 封建制 （世界史 中世・日本史 中世 近世）
feudal system

君主（統治者）が人々を支配する政治体制。

➡もともとは、君主が領民などに封土という土地を分け与え、守る見返りに、領民は君主に従うという契約関係から始まる。中世の基本的特徴のひとつ。

❻ 活版印刷術 （世界史 中世）
typography

本の大量印刷を可能にした技術。

➡本を誰もが手に入れられるようになったことで、宗教改革や啓蒙思想、科学技術の発展につながった。

❼ 宗教改革 （世界史 近世）
the Reformation

16世紀における、教皇の権威を否定して人々の信仰を尊重する運動。

➡教会という権力に服従する構図から脱して、市民の自立につながるきっかけとなる。

---

❽ 啓蒙思想
（世界史 近世・日本史 近代）

enlightenment

人々に正しい知識や考え方を教え、広めよ
うとする態度。

世界史：18世紀、西欧では、キリスト教社会
に変わる、理性に基づいた新たな社会のあ
り方を主張する考えが広まった。

日本史：19世紀、明治時代の日本では、江
戸時代に変わる、新たな近代国家のあり方
を主張する考えが広まった。

❾ ルネサンス　（世界史 近世）

Renaissance

14〜16世紀における人間性（人間らしさ）
回復を目指す文化的な運動。
➡神や王国の従属物としての人間から、自
意識の目覚めのきっかけになる。

❿ 大航海時代　（世界史 近世）

the age of discovery

15〜17世紀における、西欧諸国の海外進
出の時代。
➡後の重商主義、封建貴族の没落、西欧に
よる世界支配のきっかけとなる。

⓫ 帝国主義　（世界史・日本史 近代）

imperialism

軍事的・経済的征服によって他国を侵略し、
利益を得る政治的あり方。
➡19世紀の産業革命によって利益を得た
資本家や銀行家が、さらなる利益を求めて
他国を得ようとしたのがきっかけ。後の世
界大戦につながる。

⓬ 市民革命　（世界史 近代）

bourgeois revolution

市民階級が国家権力をくつがえし、政治的
権力をはじめとした国家にかかわる権利お
よび自由や平等などを手に入れる革命。
➡市民が蜂起（大勢がいっぺんに反乱・暴
動などの行動を起こすこと）して国王の支
配体制を倒したフランス革命が典型的。ち
なみに「革命」は被支配階級が支配階級の
権力をくつがえすこと。「クーデター」は支
配階級の一部が権力強化のために実力行
使を行うこと。

⓭ 産業革命　（世界史 近代）

industrial revolution

18世紀後半から19世紀前半にかけて起
こった、生産技術の発達による産業や社会
の大きな変革。19世紀からの近代化の
きっかけとなる。
➡機械制大工場による大量生産によって、
産業資本主義体制と近代工業文明が始ま
る。

⓮ 国民国家　（世界史・日本史 近代）

nation state

「〜民族」「〜言語」「〜文化」のように国民を
ひとつのまとまりのある構成員として統合
することで成立する国家。国民の忠誠や帰
属意識を強める国家政策のもと生じた。
➡国民が一丸となって国家のためにつくす
ことで、莫大な力が得られるが、その代わ
り、他民族や地域言語、反国家的な思想が
弾圧されることもある。

❶ イデオロギー （世界史 現代）

ideology

社会や集団が持つ理念。

➡理念・観念を示すイデア（idea）から派生した言葉。近代以降、様々なイデオロギーが提唱され、それらを信じた人たちのアイデンティティのモデル（模倣先）となった。

❶ 冷戦 （世界史 現代）

Cold War

第二次世界大戦以降から1990年ごろまでの米ソ対立。

➡資本主義陣営と社会主義陣営との対立ともいえる。直接戦争することはなかったが、互いに核兵器などの軍備を増強して、人々は第三次世界大戦勃発の恐怖におびえることになった。

❶ グローバル化 （世界史 現代）

globalization

人間の活動が、国境などの制約をこえて世界規模化すること。

➡交通手段の発達、インターネットの普及によって、人やモノや情報の移動がたやすくなり、個人や社会のあり方が大きく変化した。

❶ 江戸時代 （日本史 近世）

Edo period（1603〜1867）

江戸に徳川家の幕府（将軍の本営）が開かれた時代。

➡封建体制であると同時に、町人文化の花咲く時期でもあった。

❶ 戦後復興 （日本史 現代）

postwar reconstruction

第二次世界大戦後から1950年代にかけての日本の経済復興のこと。

➡戦後の日本は「復興」という新たな「物語（生き方・社会のあり方）」を手に入れて、それに向かって突き進んだといえる。

❷ バブル経済 （日本史 現代）

the bubble economy

1990年ごろにおける日本の経済状況。

➡地価や株価が実際の価値よりも膨れ上がる（泡・バブル）現象。膨れ上がった価格によって多くの人が莫大な利益を得たが、株価が実際の価値に戻ることによってバブルは崩壊し、銀行をはじめ多くの企業が倒産した。

❷ 失われた20年 （日本史 現代）

Lost Two Decades

1990年代から2010年代までの、日本の経済が低迷した期間。

➡戦後から「戦後復興」「物質的豊かさ」という「物語（生き方・社会のあり方）」を終えて、日本はバブル崩壊という結末を迎えてしまう。それによって日本は目標を失い、迷走する。

㉒ **心身二元論** （哲学 近代）

mind-body dualism

二元論とは、相対立する二つの原理で世界を捉えるあり方。心身二元論とは、精神と物質を分離して考察するデカルトの考え方。
➡天国と地獄、正義と悪など、もともとキリスト教社会である西欧は二元論的思考だが、デカルトはさらに、精神と身体（物質）は異質の別ものとして心身二元論を唱えた。デカルトとニュートンをきっかけにして、哲学は精神のみの研究、科学は物質のみの研究に傾斜していく。

㉓ **弁証法** （哲学 近代）

Dialektik〈独〉

相反する二つの主張を統合して発展的な結論を導くこと。ヘーゲルが提唱した思考方法。

㉔ **超人思想**

自ら判断し行動できる人を目指す思想。
➡ニーチェの思想のひとつ。ニーチェは「神は死んだ」とし、キリスト教や死後の安楽に依存するのではなく、今生きているこの世界を自ら考え決断し、実行する超人（Übermensch〈独〉）たることを大衆に求めた。

㉕ **実存主義**

existentialism

19〜20世紀の哲学思想で、今この世に現実に存在する自分の生き方を大事にする立場。

㉖ **構造主義** （哲学 現代）

structuralism

20世紀の哲学思想で、物事の意味を内在する普遍的な構造（からくり）から捉えようとする立場。

㉗ **ポスト構造主義** （哲学 現代）

post-structuralism

20世紀後半の哲学思想で、構造（からくり）を疑い、構造主義を乗り越えようとする立場。

※〈独〉：ドイツ語を表す。

1-2
時代の流れ ❶
大きな物語の誕生

KEYWORD

㉘ 物語（ストーリー）
story

人の生き方や社会のあり方。

➡フィクションとして語られ、書かれた物語とは別に、人の一生のストーリーを指す。中世以前は民族や宗教ごとに「物語」は共通していた。そして近代合理主義になると、「科学の発達した豊かな物質文明に進歩する」という世界規模の「物語」が描かれた。これを「大きな物語」という。しかしポストモダン状況になって、生きる「物語」は自ら探しつくらねばならなくなった。これを「小さな物語」という。

㉙ 神話
myth

①古くから伝わる、神にまつわる物語。
②根拠のない思い込み。

➡神話を共有することで、人々は共通の世界観（世界がどうできているのか）と規範（生き方のモデル）を手にすることができる。また、現在では②の意味もよく用いられる。

㉚ 理性
reason

本能や感情に流されることなく物事を考え、判断する力。

➡理性は哲学者によって様々な解釈がなされるが、基本的には「人間が生まれつき持っているすばらしい思考能力」と考えればよい。

㉛ 対象
object

主体が捉えようとする相手。

㉜ 法則
law

同じ条件のもとなら必ず成立する根本原理。

➡科学的な分析によって得られるものとされ、近代以降の「正しさ」の基準となる。

㉝ 普遍
universal

いつの時代、どこの場所でも通じること。

➡近代以降、西欧は、普遍的な知識や思想（科学・合理性）を手に入れて、世界を普遍化すること（帝国主義・グローバル化）を目的に走り続けたともいえる。

↔対義語の「特殊」は、限られた時代・場所でしか通じないこと。

㉞ 合理性
rationality

道理にかなっていて無駄のないこと。

➡人間の持つ理性によって得られるものとされ、近代以降の「正しさ」の基準となる。

㉟ 近代合理主義

modern rationalism

「科学性」「合理性」を「正しさ」の価値基準
とする考え方。

➡「合理主義」と区別されて、17世紀から
現代に至る欧米中心の科学文明全般を指
すことが多い。

㊱ 進歩主義

progressivism

人や世界は進歩していくものだという思想。

➡世界はすべて西欧のような科学文明に進
歩していくものだという思い込みが、欧米
諸国の植民地支配を正当化させた。

KEYPERSON

① デカルト

René Descartes（1596～1650）

フランスの哲学者で大陸合理論の創始者。
近代哲学の祖と呼ばれる。

➡デカルトは物事を徹底的に疑うことで、
「我思う故に我あり」（どれだけ物事の存在
を疑っても、疑っている我は確実に存在す
る）という結論にたどり着く。そこから「心
身二元論」や「機械論的自然観」を唱えて、
近代哲学の基礎を築いた。

② ニュートン

Isaac Newton（1642～1727）

イギリスの物理学者・数学者で、近代物理
学の祖と呼ばれる。

➡万有引力の法則を発見したことで有名。
ガリレイやニュートンをきっかけにして、
「世界は神によって成り立っている」という
従来の捉え方から、「世界は何らかの法則
によって成り立っている」というように、世
界の捉え方が変わった。

1-3
時代の流れ❷
大きな物語の終焉

KEYWORD

㊲ ポストモダン状況
postmodern

「近代的な思想を脱する」という意味で、「正しさ」の基準が多様化された状況。

➡近代合理主義の「正しさ」の基準である「科学性」「合理性」に、現代では絶対的な信頼をおけなくなってしまった。それにより「正しさ」の基準がなくなり、様々な価値観（何を正しいと思うか）が認められ、「価値観の多様化」を引き起こした。

㊳ アイデンティティークライシス
identity crisis

アイデンティティとは、「自分らしさ」をしっかり持ち、そうあり続けること。クライシスは「危機」という意味。アイデンティティークライシスとは、あるべき自分が分からなくなり、「自分らしさ」を見失ってしまうこと。

➡「自分らしさ」の確立には何らかのモデル（模倣先）が必要だが、現代では「価値観の多様化」によって様々なモデルが登場し、何が「正しいモデル」なのか分からなくなってしまった。

2

Chapter.

The Most Intelligible Guide
of General Knowledge in the World

哲学
Philosophy

哲学は「私」をどう捉えたのか

この章では、中世以降の哲学の変遷を、「私」の捉え方という観点からストーリー化していきます。それぞれの時代で「私」はどのように捉えられていたのかという大きな流れを通して、各時代の有名な哲学的立場も知ることができます。

ENRICH YOUR EDUCATION

教養を豊かにする

🔍 登場する主なキーワード

☑スコラ学 　　☑機械論 　　☑大陸合理論 　　☑演繹法

☑白紙の心 　　☑経験論 　　☑帰納法 　　　　☑ドイツ観念論

☑弁証法 　　　☑近代的自我 　☑進歩主義 　　☑超人思想

☑近代合理主義 ☑実存主義 　　☑構造主義 　　☑イデオロギー

☑モデル 　　　☑アイデンティティ

2-1 近代における「私」
―「私」の意識は近世から近代にかけて芽生えた―

まずは近世から近代にかけての哲学の流れを把握しておきましょう。分かりやすいように、近世から近代の哲学の立場をあらかじめ図式化しておきます。この流れに沿ってお話を進めていきます。

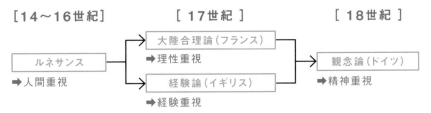

[14〜16世紀]　　　　　[17世紀]　　　　　[18世紀]

ルネサンス
➡人間重視

大陸合理論（フランス）
➡理性重視

経験論（イギリス）
➡経験重視

観念論（ドイツ）
➡精神重視

1 ルネサンス

14〜16世紀にヨーロッパで勃興（ぼっこう）した **ルネサンス** ❶ は、神に服従する中世的価値観に反抗して、**人間としての 個性** ❷ **や 合理的** ❸ **な精神を尊重することを求めた人間解放運動**です。これを機に、人々の価値観に変化が生じます。

[従来の価値観]

意識は「神」に向けられていて、「私」には向けられていない。

[ルネサンス以降の価値観]

キリスト教以前のギリシア・ローマを理想として、「人間」それ自体に価値を見出す。

こうして「神」から「私」に意識が移行する土台ができていきました。

❷ 我思う故（ゆえ）に我あり ❹

17世紀にフランスの **デカルト** ① は、**確実に存在するものを見つけようとして**、目に見えているものやこれまでの常識、学問など、世界のあらゆるものの存在を、ほんとうにあるのかと徹底的に疑いました。そうすることによって、**ほんとうにあるのかと疑っている「私」は確実に存在する**、という結論に至りました。

デカルトは従来の神の教えを基準とした学問から、新たな学問の基準（疑いえず存在するもの）を見つけようと、あらゆるものの存在を疑った。

あらゆるものの存在を疑う自分の意識だけは疑いえず、確実に存在することに気づく。
➡「私」の理性が学問の基準になる。

これによって、確実に存在する「私」の「 理性 ❻ 」を基準に、 精神 ❼ を 主体 ❽ 、物質を 客体 ❽ として、分離して考察するようになりました。これ を 心身二元論 ❾ といいます。

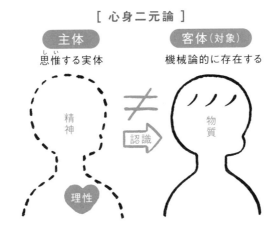

[心身二元論]

主体
思惟する実体

客体（対象）
機械論的に存在する

精神 ≠ 物質

認識

理性

「理性」を持った「私」の精神は実体として存在し、 機械論 ❿ 的（精神や意志がないもの）な物質とは別ものと考える。

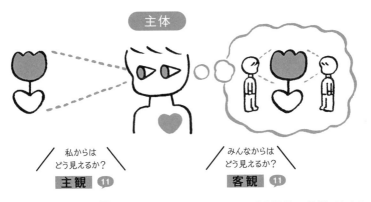

主体

私からは どう見えるか？ 主観 ⓫

みんなからは どう見えるか？ 客観 ⓫

主体が客体を 認識 ⓬ するうえで、理性をもとにすれば客観的に把握できる!!

③ 大陸合理論と経験論

デカルトの考え方は、**「私」の中にはあらかじめ生まれつきに崇高（すうこう）な「理性」が備わっている**ので、その崇高な「理性」をよりどころにすれば物事を正しく認識できる、というものです。このような考え方は、主にヨーロッパ大陸でフランスを中心に確立したことから、**大陸合理論** ⑬ と呼ばれます。大陸合理論では、真理を探究する方法としては**演繹法（えんえき）** ⑭ が用いられます。

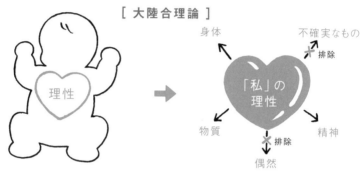

[大陸合理論]

理性

身体　不確実なもの　排除

「私」の理性

物質　偶然　排除　精神

人は生まれつきに崇高な「理性」を持つ！

理性をもとに物事を認識

「私」にあらかじめ存在する「理性」を中心に物事を認識しようとする。
その際、**偶然** ⑮ などの不確実なものは排除する。

[演繹法]

一般 ⑯ 的な **理論** ⑰ をもとに、「理性」を活用して
具体 ⑱ 的な **個別** ⑯ の事実を推察していくやり方。

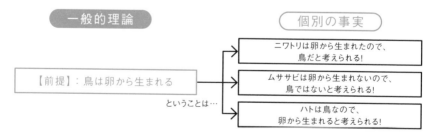

一般的理論　　　　　　　　　　個別の事実

【前提】：鳥は卵から生まれる

ということは…

ニワトリは卵から生まれたので、
鳥だと考えられる！

ムササビは卵から生まれないので、
鳥ではないと考えられる！

ハトは鳥なので、
卵から生まれると考えられる！

※「三段論法」も演繹法の一種。演繹法では、前提である「一般的理論」が
間違っていた場合、「個別の事実」も間違ってしまい、真理にたどりつけなくなる。

一方、イギリスの ベーコン ② や ロック ③ などの考え方は、「私」の中にはあらかじめ生まれつきに理性はなく 白紙の心（タブラ-ラサ） ⑲ の状態であり、**感覚的な経験を重ねることで知性や認識が養われる**というものです。この考え方は、大陸合理論に対して 経験論 ⑳ と呼ばれます。経験論では、真理を探究する方法としては 帰納法 ㉑ が用いられます。

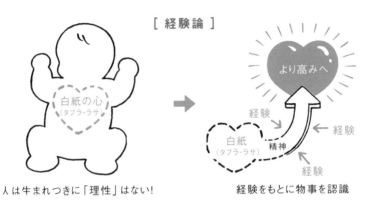

[経験論]

白紙の心
（タブラ-ラサ）

より高みへ

経験

白紙
（タブラ-ラサ）

精神

経験

経験

人は生まれつきに「理性」はない！

経験をもとに物事を認識

生まれつきの「私」は白紙の心（タブラ-ラサ）であり、
感覚的・知覚的な経験を重ねることで知識を得ることができる。

[帰納法]
観察・実験などで得られた個別の事例をもとに、
そこから共通する一般的な結論を導いていくやり方。

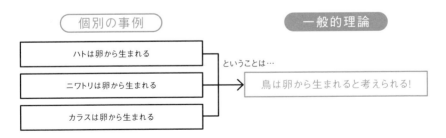

個別の事例

一般的理論

| ハトは卵から生まれる |
| ニワトリは卵から生まれる |
| カラスは卵から生まれる |

ということは…

鳥は卵から生まれると考えられる！

※帰納法では、「個別の事例」が多いほど、より真理にたどりつける。

❹ ドイツ観念論

18世紀になり、ドイツで大陸合理論と経験論の両者を統合した哲学が登場します。**ドイツ観念論** ㉒ です。ここでは **カント** ④ の **コペルニクス的転回** ㉓ と、**ヘーゲル** ⑤ の **弁証法**（べんしょう） ㉔ を紹介しましょう。

[コペルニクス的転回]

人間の物事の認識についての常識をくつがえすこと。従来、私たちは物事をありのままに認識していると思い込んでいた。しかし、カントは、実際には「認識の枠組み」に当てはめた認識しかできないとした。

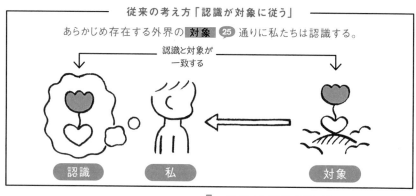

従来の考え方「認識が対象に従う」

あらかじめ存在する外界の **対象** ㉕ 通りに私たちは認識する。

認識と対象が一致する

認識　　私　　対象

コペルニクス的転回

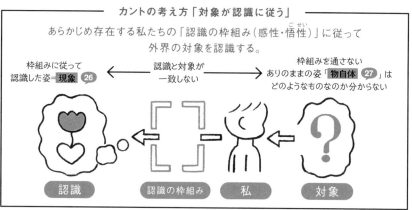

カントの考え方「対象が認識に従う」

あらかじめ存在する私たちの「認識の枠組み（感性・悟性）（ごせい）」に従って外界の対象を認識する。

枠組みに従って認識した姿=**現象** ㉖

認識と対象が一致しない

枠組みを通さないありのままの姿「**物自体** ㉗」はどのようなものなのか分からない

認識　　認識の枠組み　　私　　対象

[ヘーゲルの弁証法]

相反する二つの主張（ テーゼ 28 と アンチテーゼ 28 ）を統合し、よりよい結論（ ジンテーゼ 28 ）を導くこと。ヘーゲルは、この弁証法をくり返し 実践 17 していくことで、自己も社会も進歩し続け、より高い次元へと発展することができるとした。

どちらかを選ぶとどちらかが成り立たないという、相反する二つの主張（テーゼとアンチテーゼ）がある。

両者を統合した発展的結論（ジンテーゼ）を導く。

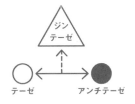

ジンテーゼを新たなテーゼとして弁証法をくり返すことで、自己も社会も発展できる。

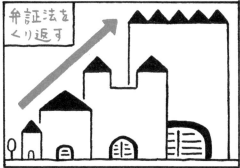

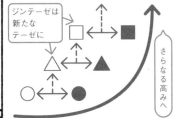

⑤ 近代的自我

このような17、18世紀の哲学の動き、そして社会や芸術の動きが、「私」について「**近代的自我** ③⓪」という概念を生みました。そしてこの近代的自我の概念は、**「私」の理想的なあり方を人々に提示**しましたが、**逆に人々を縛りつける**ことにもなりました。

[近代的自我]

普遍 ③① 的で確固たる **自我** ③② が身体や社会を律する。
そのような「私」が理想になる。

近代における「私」に共通していえることは、**「精神における進歩主義 33 」**です。そのため、この時期には精神の高みを目指すための様々な方法論が、さかんに論じられていました。しかし、果たしてそのように「進歩」した「私」はすばらしいものだったのでしょうか。現代では、そこに疑いの目が向けられたのです。

[現実の「私」]

現実の「私」は理想とする近代的自我にはたどりつけず、苦悩する。

「私」への疑い
―「私」の意識は疑われはじめた―

続いて現代の「私」の認識を形づくるきっかけ、橋渡しともいえる時代に移ります。ここで、「私」への不信が始まります。

❶ 神は死んだ

19世紀ドイツの哲学者 ニーチェ ⑥ は、当時のヨーロッパの大衆社会の「私」のあり方を否定し、**神なくとも自らを律する**という 超人思想 34 を提唱しました。

ぼくの死後には
神の救済が…

黙って
働け!!

あいつは
地獄行きだ…

そんな現実の中でも
前向きに生きるぞ～!!

19世紀の大衆は、不平等に対する恨み言ばかり。死後の神の救済を期待するだけで現実を変えて生きていこうとしない。
➡ 大衆の心には、弱者が抱く 怨恨(ルサンチマン) 35 が根底にある。

現実のこの世界を、神に期待せず自ら判断し行動できる存在(超人)であれ!!
➡ 実存主義哲学の先駆けとなる。

② 無意識の発見

同じく19世紀に、**フロイト** ⑦ と **ユング** ⑧ という精神科医が、「**無意識** ㊱」を研究しました。この研究結果は、西欧人にとって二つの意味で革命的でした。ひとつは、**「私」とは私の精神すら思い通りにならない存在である**ことが解明されたことです。もうひとつは、**自己の中心は自我なんかではなかった**ことが解明されたことです。

「私」の **意識** ㊱ は「私」の中の無意識を思い通りに **制御** ㊲ できない。

「私」の中心は自我・意識ではなく、無意識に振り回される存在でしかない。

❸「私」への疑い

こうして、19世紀以降、「私」が優れた存在であることに疑いを持つようになりました。さらに20世紀になると、第一次世界大戦が勃発し、世界の中心であるはずの西欧が、西欧人の手によって焼け野原になりました。それによって、当時の西欧における価値観（近代合理主義・進歩主義）もしだいに疑われるようになったのです。

[19世紀以前]　　　　　　[19世紀後半]

「私」の自我・意識は自己を意のままにし、世界をも意のままにできる。

「私」はそれほど立派なしろものではないことを知る。

それに加えて…

[20世紀前半]

世界の理想であり、リーダーであるはずのヨーロッパは焼け野原になってしまった。

「私」というものに対する新たな「捉えなおし」が始まる。

こうして「私」というものについて、改めて「捉えなおし」をすることになりました。そして「私」という存在は、揺らぐことのない確固としたものではなく、**一人一人が様々な「つながり」や「かかわり」といった関係性の中で揺らぐ存在**であると、認識を改めていくのです。

「私」とは、理性・経験によって、
科学技術を発達させて、未来に向けて進歩するもの。
➡しかし、得られた未来はろくでもなかった。

様々な他者とのかかわり

「私」とは、様々な「つながり」や様々な「かかわり」に応じて常に揺らぐもの。
➡自分以外の存在〈他者〉との関係性に注目しはじめた。

このようにして、「私」が捉えなおされ、20世紀になると、「私」というものの様々な捉え方が提唱されるようになります。次はその新たな「私」の捉え方を見ていきましょう。

2-3

現代における「私」
―世界と「私」とのかかわりを求めはじめた―

そして20世紀になると、様々なアプローチで「私」の捉えなおしがされます。

① 実存主義

近代合理主義 ㊳ において、物事を研究する際には、私たちは物事を分解し、分解したものをそれぞれ分析して研究する方法をとります。そうして「分ける」ことによって確かに様々なことが「分かる」ようになりましたが、その代わり、**様々な「つながり」が失われました。**

[近代合理主義]

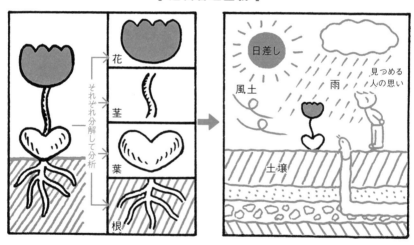

対象を分解し、分析することで、仕組みや法則を求める。

そして、対象以外の様々な「つながり」は無視されていた。

そこで20世紀前半にかけて、人間の存在を一人一人特別なかけがえのないもの（**実存**）と考え、**積極的に世界とかかわりを持とう**、そして**自分なりに**、**世界と自分との「つながり」を手に入れよう**、というような思想が生まれました。これを 実存主義 39 といいます。

[実存主義]

「つながり」が感じられない世界では、人は生きる意味を見失ってしまう。

それまでの近代合理主義が排除してきた「他者」や「世界」とのかかわり、「偶然」的な要素などをすべて受け入れ、かかわっていくことで、それらすべてと「 必然 15 」的な「つながり」を持ったかけがえのない存在になることができる。

② 構造主義

近代合理主義においては、「理性」を持った人間が文化や文明を築き、世界を操ることができると思い込んでいました。

人は「世界」を意のままに操ることができると思っていた。

しかし20世紀中ごろより、私たちの言語や文化、社会や心には、目に見えない「**構造（からくり）**」があり、**人間はその構造に縛られた選択・認識しかできない**という考え方が、フランスを中心に広まりました。この目に見えない様々な「構造」を明らかにする立場を **構造主義** ㊵ といいます。

実は、人は気づかないうちに、「世界の構造」に操られていたのではないか。

❸ 自己と他者、精神と身体

現代では、**自己** 41 と **他者** 41 の境界は、近代合理主義のように明確に分かれたものではないと考えます。また、**精神** と **身体** 42 の境界も、明確に分かれたものではないと考えます。その**境界は、立場や状況などの様々な「かかわり」によって変化するもの**なのです。

[自己 - 他者 論]

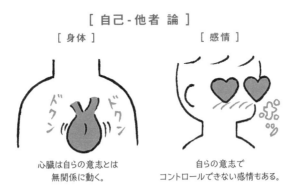

[身体]

心臓は自らの意志とは
無関係に動く。

[感情]

自らの意志で
コントロールできない感情もある。

「私」の「身体」や「感情」は、常に必ず意のままになるものとは限らないが、
これらは「自己」といえるのか。むしろコントロール不能な「他者」とはいえまいか。

[精神 - 身体 論]

[状態]

楽しいわけがない…

自己の感情は身体の状態の
影響を受ける。

[認識]

空を飛ぶって
どんな感じ
だろう？

物事は、身体で認識できる
範囲でしか理解できない。

[言語]

見てたらもらい泣き
しちゃったよ…

泣いてるのを

身体は、その場の空気をつくる
言語ともなりうる。

「私」の精神は「身体」の影響を受け、その影響の受け方も様々なため、
「精神」と「身体」で明確な線引きをすることができない。

④ アイデンティティ-クライシス

アイデンティティ 43 の意味は現在多様に解釈されていますが、平たくいえば「自分らしさ」です。しかし、人は**完全オリジナルの「自分らしさ」を自分だけでつくることはできません。**何らかの「 モデル 44 (模倣先)」が必要なのです。

[アイデンティティ]

かつては、生き方はある意味あらかじめ決まっていて、生き方に迷うこともなかった。

「中世以前の自分らしさのモデル」
・宗教ごとの神の教え
・村落共同体の規範

「近代以降の自分らしさのモデル」
・国家が求める国民らしさ
・民族が求める〇〇人らしさ
・ 国民国家 45 の イデオロギー 46

このように、**かつては「モデル」があらかじめ存在していた**ために、「自分らしさ」を探す必要がありませんでした。しかし、近代思想から脱却したいわゆる ポストモダン状況 47 になり、「正しさ」の基準がバラバラになっていくにつれて、「モデル」が消滅してしまいました。これが アイデンティティークライシス 48 の始まりです。

[**アイデンティティークライシス**]

生き方のモデルはあらかじめ存在するのではなく、自ら探すことになる。

➡ モデル探しに苦しむ人は、かつての「正しさ（宗教・民族）」にすがったり、
表面だけの ファッション 49 にすがるようになる。

どう生きればいいんだ〜〜！

「自分らしさ」の
モデルが消滅

ガラ

ガラ

ガラ

「現代の自分らしさのモデルを取り巻く環境」

・ポストモダン状況による価値観の多様化
・ グローバル化 50 による国民国家の弱体化
・メディアによるモデルの氾濫（はんらん）とそのシフト（移ろい）の速さ
➡ モデルが細分化しすぎて、選びきれなくなったともいえる。

KEYWORD & KEYPERSON
重要用語と重要人物を掘り下げる

中世から近世にかけて「私」は「できること」「分かること」をどんどんと
増やしていきました。それにより「私」は崇高な「理性」を備えた確固た
る万能な存在と捉えるようになりました。しかし、近代以降、「私」は無
意識・社会・言語・文化などの様々な「かかわり」の影響を受けた存在で
しかないと、「私」の捉えなおしが始まったのです。

※これまでのChapterですでに登場したワードは、簡単な意味のみ再掲しています。

2-1
近代における「私」
「私」の意識は近世から近代にかけて芽生えた

KEYWORD

❶ ルネサンス　（🔲Chapter1）
14〜16世紀における人間性（人間らしさ）
回復を目指す文化的な運動。

❷ 個性
personality / individuality
personality：ある人に特有の性質。
individuality：共同体から独立した存在。
➡個性の尊重（respect for individuality）と
は一人一人を独立した人間として認めると
いうこと。独特さを認めることではない。

❸ 合理的
rational
論理にかなって、因習や迷信などにとらわ
れない様子。

❹ 我思う故に我あり
cogito ergo sum〈羅〉
「どれだけ物事の存在を疑っても、疑ってい
る我は確実に存在する」というデカルト哲
学の根本原理。

❺ スコラ学
scholasticism
中世ヨーロッパにおける、主に神の信仰を
基盤とする学問。
➡本来のスコラ学は総合的な学問だが、現
代文では神への信仰を「正しさ」の基準と
する例で用いられることが多い。ちなみに
スコラはスクールの語源。

❻ 理性　（🔲Chapter1）
本能や感情に流されることなく物事を考え、
判断する力。

❼ 精神
spirit
認識や思考する人間の心の領域。
➡「心」はあくまでも個人の内面だが、「精
神」は人間としての高い次元の心の領域。

❽ 主体・客体
subject / object
何かを見たり感じたり考えたりするときの、
見る側が主体で、見られる側が客体。
➡もともとは主体も客体も存在せず、見る・
見られるの関係があって初めて存在する。
ちなみに、「主体的」は、「自ら率先して」と
いう意味になることが多い。

❾ 心身二元論　（🔲Chapter1）
二元論とは、相対立する二つの原理で世界
を捉えるあり方。心身二元論とは、精神と
物質を分離して考察するデカルトの考え方。

※〈羅〉：ラテン語を表す。

哲学 | Philosophy

⑩ 機械論
mechanism
自然現象は、心や精神や霊魂などとかかわらずに力学的な因果関係でできあがるとする立場。
➡後の科学はこの立場で対象を分析して法則を導こうとした。

⑪ 主観・客観
subject / object
主体が見たり感じたり考えたりした内容が主観で、主体以外の誰から見ても同じように見えたり感じたり考えたりする内容が客観。

⑫ 認識
recognition
物事の本質まで分かること。

⑬ 大陸合理論
continental rationalism
経験や偶然を排除して、理性によって物事を捉えようとする立場。
➡17世紀にヨーロッパ大陸でフランスを中心に広まったことから、「大陸」合理論と呼ばれるようになった。

⑭ 演繹法
deduction
一般的な理論を前提にして、理性を活用し、具体的な個別の結論を導いていく方法。
➡大陸合理論の基本的な考え方。ちなみに「三段論法」も演繹法の一種。

⑮ 偶然・必然
chance / inevitability
偶然はたまたま起こることで、必然は必ずそうなると決まっていること。
➡物事の性質や本質を取り出して捉えることを「抽象」というが、そのときに他の性質を捨て去ることを「捨象(abstraction)」という。大陸合理論は対象を研究するうえで偶然性を捨象した。ちなみに「蓋然性(probability)」は確実に起こりうる度合いのこと。

⑯ 一般・個別
generality / individual
多くの場合に当てはまることが一般で、全体から切り離したひとつひとつが個別。

⑰ 理論・実践
theory / practice
様々な法則を体系化した(まとめた)ものが理論で、理論を行動に移すことが実践。

⑱ 抽象・具体
abstract / concrete
物事の性質や本質を取り出して捉えることが抽象で、人間の知覚で捉えられ、形や内容のあることが具体。
➡「抽象的」「具体的」はあるものを比較して詳しいか否かを捉えるもの。ちなみに「捨象」は他の性質を捨て去ることなので、具体を捨象することが抽象であるともいえる。

⑲ 白紙の心（タブラーラサ）

tabula rasa〈羅〉

生まれながらの人間の心はあらかじめ何も書かれていない白紙の状態であると考えること。

➡人間には生まれつき理性が備わっているとする大陸合理論に反する経験論の考え方。

⑳ 経験論

empiricism

人間の知識や認識の起源は、理性ではなく感覚的経験からであるとする立場。

➡主にイギリスで発展したため、大陸合理論に対して「イギリス経験論」ともいわれる。

㉑ 帰納法

induction

個別の具体的事例を積み重ねることで、一般的な法則や結論を導く方法。

➡経験論の基本的な考え方。

㉒ ドイツ観念論

German idealism

18世紀後半から19世紀にかけて発展したドイツ哲学。

➡物質よりも観念を重視して、世界についての普遍的な体系をつくろうとした。ちなみに、「観念論」は非現実的な理想論という意味でも用いられる。

㉓ コペルニクス的転回

Copernican Revolution

物事の発想や常識を根本的に変えること。

➡人間の認識についての常識をくつがえすこの転回を、天動説から地動説に転回したコペルニクスになぞらえて、カントはこう言った。

㉔ 弁証法　➡Chapter1

相反する二つの主張を統合して発展的な結論を導くこと。ヘーゲルが提唱した思考方法。

㉕ 対象　➡Chapter1

主体が捉えようとする相手。

㉖ 現象

phenomenon

主体が捉えた対象の姿。

➡現象はあくまでも人の知覚が捉えた姿であって、対象と合致しているとは限らない。

※〈羅〉：ラテン語を表す。

㉗ 物自体

thing in itself

人が認識する以前のモノ本来の姿。

➡人は人の中に存在するアプリオリな「認識の枠組み」を通した姿でしか物事を認識できず、物自体がどのようなものなのかは誰も分からない。ちなみに、生得的・生まれつきがアプリオリ（a priori〈羅〉）、後天的・後付けがアポステリオリ（a posteriori〈羅〉）。

➡大陸合理論がアプリオリ重視で、経験論がアポステリオリ重視。

㉘ テーゼ／アンチテーゼ／ ジンテーゼ

these / antithese / synthese〈独〉

考察する話題がテーゼで、それに対立する話題がアンチテーゼ。テーゼとアンチテーゼをより高い次元へと統一したものがジンテーゼ。

㉙ 止揚（アウフヘーベン）

aufheben〈独〉

相反する二つの主張を高い次元で統一すること。

➡ヘーゲルの思考法。

㉚ 近代的自我

modern ego

集団により操られても揺らぐことなく、個人として決断・行動する理想的な自己。

➡18世紀から19世紀にかけての、あるべき自己の理想的姿。「近代的」がつく自我は理想としての自我と考えればよい。

㉛ 普遍 （➡Chapter1）

いつの時代、どこの場所でも通じること。

㉜ 自我

ego

意識し行為する主体としての自己。

➡「近代的」のつかない自我は現実としての自我と考えればよい。

㉝ 進歩主義 （➡Chapter1）

人や世界は進歩していくものだという思想。

※〈独〉：ドイツ語を表す。

KEYPERSON

① デカルト 　（☐Chapter1）
フランスの哲学者で大陸合理論の創始者。
近代哲学の祖と呼ばれる。

② ベーコン
Francis Bacon（1561〜1626）
イギリスの哲学者で経験論の創始者。

③ ロック
John Locke（1632〜1704）
イギリスの哲学者。経験論を説く。

④ カント
Immanuel Kant（1724〜1804）
ドイツの哲学者でドイツ観念論の創始者。
コペルニクス的転回を説く。

⑤ ヘーゲル
Georg Wilhelm Friedrich Hegel（1770〜1831）
ドイツの哲学者でドイツ観念論の完成者。
弁証法を提唱する。

2-2
「私」への疑い
「私」の意識は疑われはじめた

KEYWORD

㉞ 超人思想 　（☐Chapter1）
自ら判断し行動できる人を目指す思想。
ニーチェの思想のひとつ。

㉟ 怨恨（ルサンチマン）
ressentiment〈仏〉
社会的強者に対して社会的弱者が恨み嘆くこと。
➡ニーチェが19世紀の退廃した（だらけた）キリスト教社会の大衆を批判した言葉。負け惜しみだけで現状を打破しようとしない人たち。

㊱ 意識・無意識
consciousness / unconsciousness
自己の中で自覚できている内面が意識で、自覚できない内面が無意識。
➡無意識を制御する役割を持つのが意識といえる。

㊲ 制御
control
対象を自分の思うように抑えて支配すること。

KEYPERSON

⑥ ニーチェ
Friedrich Wilhelm Nietzsche（1844〜1900）
ドイツの哲学者で実存主義者。超人思想を
提唱する。

⑦ フロイト
Sigmund Freud（1856〜1939）
オーストリアで活躍した精神科医で、精神
分析学の創始者。無意識を研究する。

⑧ ユング
Carl Gustav Jung（1875〜1961）
スイスの精神科医・心理学者で無意識を研
究。フロイトに師事するも、考えの違いか
ら、のちに別れる。

> **2-3**
> **現代における「私」**
> 世界と「私」とのかかわりを求めはじめた

KEYWORD

❸ 近代合理主義　（◻Chapter1）
「科学性」「合理性」を「正しさ」の価値基準
とする考え方。

❸ 実存主義　（◻Chapter1）
19〜20世紀の哲学思想で、今この世に現
実に存在する自分の生き方を大事にする立
場。
➡「私」を大切にする立場といえる。

❹ 構造主義　（◻Chapter1）
20世紀の哲学思想で、物事の意味を内在
する普遍的な構造（からくり）から捉えよう
とする立場。
➡「私」を抜きにして構造を捉える立場と
いえる。20世紀後半には、この構造を疑
い、ふたたび「私」のあり方につなげた「ポ
スト構造主義（post-structuralism）」が生
まれる。

④ 自己・他者

self / others

自分で「自分だ」と思っている範囲が自己
であり、自分で「自分以外だ」と思っている
範囲が他者。

➡たとえば服を着た自分を自己と思えば服
もまた自己であり、服を脱げばその服は他
者になるように、自己と他者の線引きは
しっかり定まったものではないといえる。

④ 身体

body

精神に対して、その「入れ物」としての人間
の領域。

➡「精神」と「身体」は、お互いに影響を与
え合うため、その境界は常に変化する。

④ アイデンティティ

identity

「自分らしさ」をしっかり持ち、そうあり続
けること。

④ モデル

model

模範や手本になるもの。模倣先。

➡アイデンティティの「自分らしさ」は模
範・模倣先であるといえる。

④ 国民国家　（➡Chapter1）

「〜民族」「〜言語」「〜文化」のように国民を
ひとつのまとまりのある構成員として統合
することで成立する国家。国民の忠誠や帰
属意識を強める国家政策のもと生じた。

④ イデオロギー　（➡Chapter1）

社会や集団が持つ理念。

④ ポストモダン状況　（➡Chapter1）

「近代的な思想を脱する」という意味で、「正
しさ」の基準が多様化された状況。

④ アイデンティティークライシス
　　　　　　　　　　　　　（➡Chapter1）

あるべき自分が分からなくなり、「自分らし
さ」を見失ってしまうこと。

④ ファッション

fashion

主に服飾における流行。

➡「自分らしさ」のモデルは内面的なもの
だけではなく表面的なものも含まれる。そ
こで「ありたい自分に見られるファッショ
ン」に身を包んでアイデンティティを確保
しようとする動きが生まれる。

⑤ グローバル化　（➡Chapter1）

人間の活動が、国境などの制約をこえて世
界規模化すること。

3

Chapter.

The Most Intelligible Guide
of General Knowledge in the World

言語
Language

人にとっての「言語」とは何か

この章では、ソシュール言語学の基礎的な領域を通して、人が言語により世界を意味づける「からくり」を追っていきます。そして、現在研究されている言語習得のメカニズムについても学んでいきます。

ENRICH YOUR EDUCATION

教養を豊かにする

🔍 登場する主なキーワード

☑文法 　　☑言葉 　　☑言語 　　☑概念

☑意味付け 　☑認識 　　☑分節 　　☑コード

☑解釈 　　☑母語 　　☑バイアス 　☑生成文法

☑普遍文法 　☑第二言語 　☑バイリンガル ☑思考言語

☑コミュニケーション

3-1 言語の見方の変化
―言語には見えない構造がある―

まずは、現代では **言語** ❶ をどのようなものとして捉えているか、その立ち位置を簡単に確認しましょう。

❶ 昔の言語の捉え方

19世紀以前、言語とは、あらかじめ **実在** ❷ する事物や思いなどを言い表すものだと考えられていました。

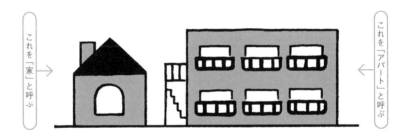

あらかじめこれらは明確に分かれて存在し、それぞれを「家」「アパート」と呼び分ける。

そして、**近代合理主義** ❸ という時代の中で、言語も科学と同様に、**分解して分析することで法則を導く**研究をしていました。

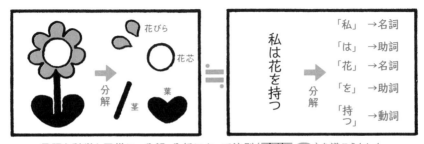

言語も科学と同様に、分解・分析によって法則(**文法** ❹)を導こうとした。

② ソシュール以降の捉え方

しかし、19世紀のスイスの言語学者、**ソシュール** ① をきっかけとして、事物と **言葉** ⑤ の関係が見直されました。意味をともなった言葉で言い表すことによって、その意味を持った事物や **概念** ⑥ になると考えるようになったのです。

この形は必ず「家」か?

家とは
限らない!

「アパート」と名付ければこの形も複数の人が暮らす「アパート」になる!

事物や概念などを名付けるのではなく、
名付けることによってその意味を持った事物や概念になる。

そして、分解・分析によって得られた法則性（文法）ではなく、**言語で** 意味付け **⑦ て活動することによって得られる隠された規則性（** 構造 **⑧ ）を研究するよ**うになりました。

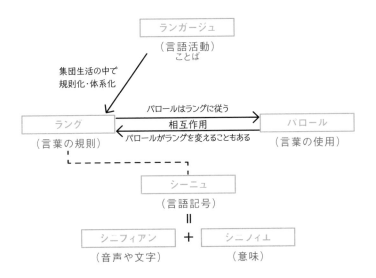

言語の分解ではなく、言語の使用・活動によって、
言語の持つ構造を明らかにしようとした。

このように、言葉には目に見えない構造（からくり）があり、それに合わせて私たちは物事を 認識 ⑨ したり意味付けたりしていることが分かってきたのです。

3-2 世界の分節化
—言葉で表すことによって、世界は「分節」される—

次に、**言語の基本的な構造(からくり)を理解していく**ことにしましょう。基本的なことですが、とても大事なことです。

① 名付けられる前の世界

言葉を習得する前の幼児が見る世界は、もとの輪郭^{りんかく}がない世界です。ただ色の重なり合った世界といえるでしょう。

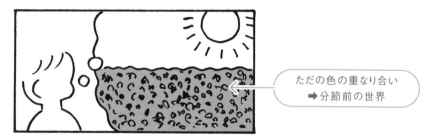

> ただの色の重なり合い
> ➡ 分節前の世界

頭の中で満面に広がるお花畑を思い浮かべてみよう。
ひとつひとつの花の輪郭が細かく分かれていないはず。

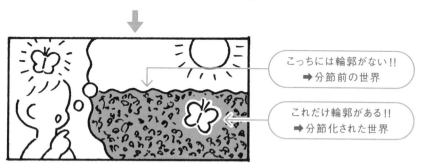

> こっちには輪郭がない!!
> ➡ 分節前の世界

> これだけ輪郭がある!!
> ➡ 分節化された世界

そのお花畑の中に、「一匹のチョウがとまっている姿」を思い浮かべよう。
チョウだけ、他の花々と分かれる線があるはず。
逆にいえば、他の花々には線のないことがよく分かるはず。

② 名付けられた後の世界

「あれがチョウだぞ」と教えられて認識することで、世界は「チョウ」と「そうでないもの」に分かれます。そして別のものを指して、「これがガだぞ」と教えられて認識することで、世界は「チョウ」と「ガ」と「チョウとガでないもの」に分かれます。

「チョウ」を知る前は「花の一部」と思っていたかもしれないものが、
「チョウ」と知ることで「チョウ」と「チョウでないもの（花）」に分節化される。

今まで「チョウ」だと思っていたかもしれないものも、「ガ」と知ることで、
「チョウ」と「ガ」に分節化される。

こうして、意味をともなった言葉でどんどん名付けられることによって、世界はどんどん分かれていきます。このように「名付けられたもの」と「そうでないもの」に分かれることを、「分節 ⑩ 化」といいます。

③ 分節は言語圏でそれぞれ

「チョウ」「ガ」という言葉を得た人は皆、チョウを見れば「チョウ」と認識できますし、ガを見れば「ガ」と認識できます。では、チョウもガもひっくるめて「パピヨン」と名付けたらどうなるでしょうか?

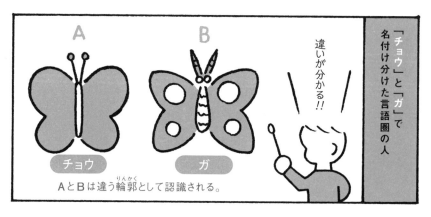

「チョウ」と「ガ」で名付け分けた言語圏の人

違いが分かる!!

A B

チョウ　ガ

AとBは違う輪郭（りんかく）として認識される。

どちらも「パピヨン」と名付けた言語圏の人

同じでしょ?

A B

パピヨン　パピヨン

名前が同じだとAもBも同じ輪郭として認識される。

チョウもガもひっくるめて「パピヨン」と呼ぶ **言語圏** ⑪ の人は、
「チョウ」と「ガ」が同じようにしか見えなくなる。

このように、事物と言葉の関係は一対一ではなく、**実はその分節は言語圏ごとにバラバラ**なのです。これを「言語の 恣意 ⑫ 性」といいます。

[言語の恣意性]

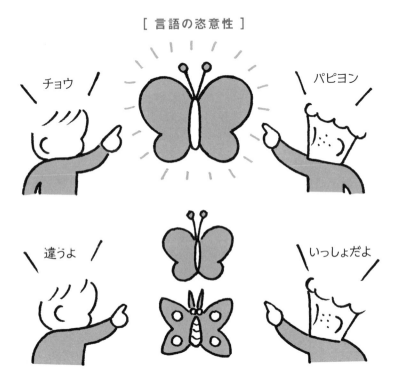

事物と言葉の関係は一対一対応ではなく、
言語圏ごとに組み合わせも呼び名もバラバラである。

私たちが世界を見るその**輪郭は、実は言葉によってつくられて**、私たちが世界を捉えるその**意味は、実は言葉によって意味付けられて**いたのです。しかもその輪郭や意味付けは、言語ごとにバラバラだったのです。

3-3 分節化のコード
―言語圏ごとの分節の構造―

ここでは、**言語圏ごとになぜ分節がバラバラになるのか**、そのからくりを追いかけましょう。

1 コードが違うと分節も違う

日本語圏では、チョウとガを違う名前にして、別のものに分節します。一方、フランス語圏では、チョウもガも「パピヨン」という同じ名前にして、同じものに分節します。これは、**物事の認識の基盤である「 コード ⑬ 」が言語圏ごとに異なる**ことによって生じます。

どうして言語圏ごとに分節の仕方がズレるのか?
➡両者では「コード(言葉の分け方の規則)」が異なるから。

② 言語圏によってコードが違う

この「コード」は、言語圏の中における人々と物事との様々な**「かかわり」**によって、歴史的 ⑭ にだんだんとできあがってきます。よって、その言語圏の人々が持つ「コード」も変わってくるのです。

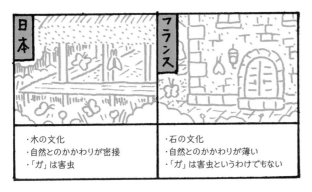

人々と事物や概念との歴史的かかわりや、生活的かかわりから、各言語圏における「コード」がそれぞれつくられていった。

・木の文化
・自然とのかかわりが密接
・「ガ」は害虫

・石の文化
・自然とのかかわりが薄い
・「ガ」は害虫というわけでもない

ある言語とそれとは別の言語で同じものを指し示したとしても、それらの言葉はまったく同じ意味とは限りません。**見えない「コード」がまるで別々**かもしれないのです。

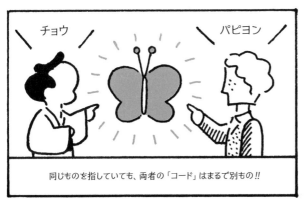

同じものを指して「チョウ」「パピヨン」と呼んでいるから、表面上は「チョウ」＝「パピヨン」といえるのかもしれないが、両者の「コード」はまるで違うものといえる。

同じものを指していても、両者の「コード」はまるで別もの*!!*

③ 意味付けられた世界

こうして、世界のほとんどはすでに**言語圏ごとの言葉で意味付けされ、解釈** ⑮ **されています**。私たちはこうした世界に生まれ、さらに、新たに言葉で意味付けて解釈して生きています。したがって、私たちはありのままではなく、**言葉によって歪められた世界に生きている**ことになります。

私たちが生きているのは、生まれたときにすでに、言葉によって名付けられ、意味付けられた世界である。

すなわち、私たちは言葉によって語られ、歪められた世界に生きているともいえる。

このように考えると、私たちはありのままの世界を自由意志で生きているのではなく、言葉によって意味付けられた世界を、**言葉によってつくられた「ストーリー（物語）** ⑯ **」にのっとって生きている**ことになるといえるかもしれません。

言葉によって意味付けられた世界を、言葉によって意味付けられたストーリーに合わせて、人生を生きている。

以上で、基本的な言語の構造のお話は終わりです。今度は、そこから発展した言語にまつわる様々な教養を手に入れていきましょう。

3-4 言語についての様々な議論
―言語にまつわるあれこれ―

最後に、言語にまつわる様々なお話を挙げておきます。ここでお話しする人間の言語習得や、母語と第二言語の関わりなどはまだまだ仮説の領域ですが、どれも興味深いものばかりです。

① 幼児の言語習得

幼児がいかにして **母語** ⑰ を習得するか、そのメカニズムはいまだ解明されてはいませんが、現在、多くのことが分かってきているようです。

「ワンワン」がモノの名前なのか、色なのか、体の部位なのか、状態なのか、何も指示していない。

にもかかわらず、これと似たものを見つけたら、きちんと「ワンワン」と認識する。なぜか。

幼児は「聞いた音」と「対象」を自由に結びつけることはなく、その音が「モノの名前を表す音」と優先的に捉えるように制約（ **バイアス** ⑱ ）がかかっている。そして似た対象でもその「名前」で呼べるように、全体的な形やおおざっぱな **特徴** ⑲ を捉えるように制約がかかっている。だから一発で似た対象を名前で呼ぶことができる。

このような発見は、「子どもは大人の話を聞いて覚える」という単純な考えを持っていては得られません。幼児の頭の中には、**言語を効率よく習得するメカニズム**（ 生成文法 ㉒ ）があるのではないかという前提がもとになっています。

親は子に対して、常に文法的に正しく語ってはいない。
にもかかわらず、子は文法的に正しく言葉を使えるようになる。なぜか？

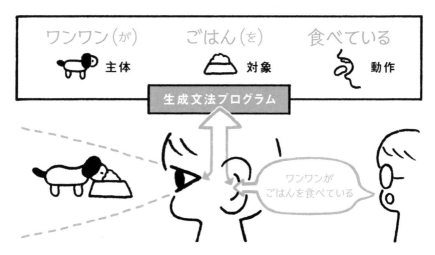

人は、どの言語にも普遍的に適用できる 普遍文法 ㉑ を生まれながらに備え持っており、
「生成文法プログラム」に照らし合わせながら言葉を学習するため、
文法を習わなくても文法的に正しく学ぶことができる。

② 今までの英語教育

戦後日本の英語教育は、**文法の習得と文章読解を重視**していたため、中学校から六年間英語を学習しても、英語で コミュニケーション ㉒ をとれない人が大多数でした。

単語・文法・読解を中心とした教育で、しかもペーパーテストの点数が評価の基準。

英語で話しかけられても何を言っているか分からないし、どう話していいかも分からない。

その反省から、コミュニケーションを多用することで、**あたかも母語を習得するかのように英語を学習する**流れが1990年代から広まってきました。

母語の習得は会話のコミュニケーションから行う。

それと同様に、会話のコミュニケーションや聞き取りを増やすことで、英語を習得させようとした。

しかし、表面的な日常会話程度のコミュニケーションはできるようになっても、母語を使用するように、**文法的に正しく、しかも自分の考えをしっかり伝える**ことができるようにはなりませんでした。

自分の考えを長文で相手に説明することができない。
文の構造的にも、文法的にもおかしな説明になる。

❸ 第二言語の習得とは

なぜ私たちは、母語を習得する際には、コミュニケーションだけで自分の意見を文法的に正しく説明できるのでしょうか？

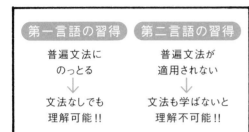

少年期以降に **第二言語** ㉓ を習得する場合は、第一言語の習得と同様には理解できない!!
➡第二言語をきちんと習得するには、文法の学習が必要!!

「幼少期からのバイリンガル」は、第一言語としてどちらも習得している。
➡コミュニケーションだけでどちらもしゃべれるようになった。

「少年期以降のバイリンガル」は、第二言語の文法を学習したうえでしゃべれるようになった。
➡通訳に向いているのは、実はこっちとされている。

日本で英語教育をいかにすべきかは、いまだに論争が続いている。

このように、**第二言語の習得は母語の習得とは異なるため**、改めて文法教育の必要性が問われています。

④ 日常会話と思考言語

評論で用いられる表現は、日常生活では用いられません。 具体 ㉕ 的な何かを指すのではなく、 抽象 ㉕ 的で意味が広いので、そのような表現は物事を考えるうえで用いられます。これら抽象的で意味の広い言葉を運用する能力を、 思考言語 ㉖ 能力といいます。

日本語を母語として生きる私たちは、日本語で思考します。それによって私たちは、**日本語の影響を受けた考え方**になってしまいます。だから英語でコミュニケーションするときは、相手に自分の考えをうまく伝えることができないのです。

母語で抽象的な思考をしてこなかった人は、英会話において、
日常会話レベルなら**OK**でも、自分の考えを相手に伝えることはいつまでも苦手になる。

しかし、**日本語の思考能力を養い、日本語で相手に自分の考えをしっかり伝えることができる人は、やがて英語でも考えを伝えられる**ようになります。これはいったいどういうことなのでしょうか。

どうやら、母語できちんと考えて発達させた**母語の思考言語能力は、第二言語を運用するうえでも活用されている**ようなのです。

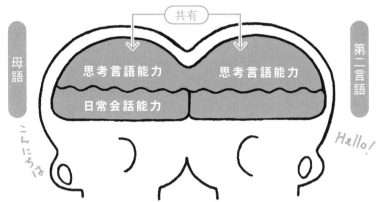

日本語（母語）で培った思考言語能力は、第二言語を運用するときにも共有されて…

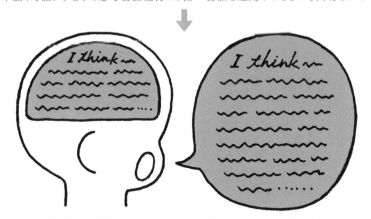

英語（第二言語）で考え、その考えを相手に伝えることができる。

言語にまつわるお話は以上です。私たちが普段生活するうえで、**言葉というものが世界の認識といかに密接にかかわっているか、影響を与えているか**について興味を持ってくれれば幸いです。

KEYWORD & KEYPERSON
重要用語と重要人物を掘り下げる

人間の言語活動を研究することで、私たちは言語で世界を分けて捉え、言語で世界に意味を与え、言語で作られたストーリーの中で生きていることがわかってきました。そして、人間の脳内には言語習得のメカニズムがあり、それに合わせて我々は母語を習得し、思考言語にしていることがわかってきたのです。また、第二言語の習得は今でも大きな議論になっています。

※これまでの Chapter ですでに登場したワードは、簡単な意味のみ再掲しています。

3-1
言語の見方の変化
言語には見えない構造がある

KEYWORD

❶ 言語
language
言葉のまとまりの体系。
➡「日本語」は「言語」とはいうが「言葉」と
はいわない。

❷ 実在
real
実際に存在するもの。
➡実在論（realism）とは、言葉に対応する対
象があらかじめ実在するという考え方。

❸ 近代合理主義　（▣Chapter1・2）
「科学性」「合理性」を「正しさ」の価値基準
とする考え方。

❹ 文法
grammar
言葉を正しく読み書きするための、文や文
章の法則や規則。
➡文や文章の法則や規則の意味を強調す
る際には「文法」と呼び、言葉を正しく読み
書きするための意味を強調する際には「学
校文法」「規範文法」と呼び分けることが多
い。

❺ 言葉
word
意味を表すための声や文字。
➡「走る」という声や文字は「言葉」とはい
うが「言語」とはいわない。

❻ 概念
concept
おおまかな意味や性質。
➡ある物事について思考することで得られ
るもの。

❼ 意味付け
物事に意義や価値を与えること。
➡物事の意味付けは言葉によって行われる。
逆にいえば、言葉がなければ世界に意味は
ないとも解釈できる。

❽ 構造
structure
物事に内在する普遍的なからくり。

❾ 認識　（▣Chapter2）
物事の本質まで分かること。

KEYPERSON

① ソシュール
Ferdinand de Saussure(1857~1913)
スイスの言語学者・言語哲学者で、「近代言語学の父」と呼ばれる。構造主義のもととなる構造言語学を提唱する。

KEYWORD

⑩ 分節
articulation
全体を区切り分けること。
➡言語学では、言葉の区切りによって世界や物事を区切り、認識する意味でよく使われる。

⑪ 言語圏
linguistic area
ある言語を共通語として用いている範囲。
➡たとえ国家や民族が違っていても、同じ言語を共通語(common language)として用いているのならば、同じ言語圏と考える。ちなみに標準語(standard language)とは、国家の中で共通し、かつ理想的とみなされる言語。たとえば方言は、それを話す地方の中では共通語だが標準語ではない。

⑫ 恣意
arbitrariness
その時どきでの思いつき。
➡言語における「恣意性」とは、言葉の音や文字とその意味内容は必然的に結びついているのではなく、偶然結びついたにすぎないという考え方。

3-3
分節化のコード
言語圏ごとの分節の構造

KEYWORD

⑬ コード
code

言語に内在する規則や習慣などの共通基盤となるもの。
➡日本語圏の人は日本語に内在する「コード」に照らし合わせて日本語を用いるので、意味が通じ合えるといえる。

⑭ 歴史的
historical

遠い過去から続いていること。
➡もちろん「歴史に関すること」や「歴史に残ること」という意味もあるが、「だんだんと」の意味合いで用いられることも多い。

⑮ 解釈
interpretation

意味や内容を解きほぐして明らかにすること。

⑯ ストーリー(物語) （◀Chapter1）
人の生き方や社会のあり方。

3-4
言語についての様々な議論
言語にまつわるあれこれ

KEYWORD

⑰ 母語
native language

人間が生まれて最初に習得した言語。
➡第一言語ともいう。周りの人の話を見聞きして自然に身につけることができる。

⑱ バイアス
bias

かたより、先入観。
➡たとえば「形バイアス」とは、初めて聞く音を「ものの形を表す言葉だ」という先入観を持って認識しようとする制約がかかっていること。

⑲ 特徴
characteristic

他と比べてきわだった点。
➡人は初対面の人の特徴を素早く捉えること(特徴バイアス)によって、髪型などが変わってもその人と認識することができる。

⑳ 生成文法

generative grammar

人間が生まれながらに脳の中に持っている
文法システム。

㉑ 普遍文法

universal grammar

すべての言語に共通する性質や規則性。

㉒ コミュニケーション

communication

互いに意志や感情などを伝え合うこと。

㉓ 第二言語

second language

母語習得後に学習した言語。
➡ある程度の年齢をこえると、母語の習得
のように見聞きしただけでは、習得しにく
くなるといわれている。

㉔ バイリンガル

bilingual

二つの言語を流暢に使いこなす人。
➡生得的バイリンガル（幼少期から二つの
言語になじんで自然に両者を習得した人）
と後天的バイリンガル（第二言語を学習と
努力によって習得した人）に分かれる。

㉕ 抽象・具体 　（🔲Chapter2）

物事の性質や本質を取り出して捉えること
が抽象で、人間の知覚で捉えられ、形や内
容のあることが具体。

㉖ 思考言語

inner speech

頭の中で思考するときに用いる言語。
➡人に話すときに用いる日常会話言語
（oral speech）とは別ものと捉えられる。

4

Chapter.

The Most Intelligible Guide
of General Knowledge in the World

SUPER
CHESS
MACHINE

心理
Psychology

人は「心」をどう科学したのか

この章では、「心」を科学的にアプローチした、19世紀からの心理学的立場の変遷を追っていきます。ここでは様々な心理学から得られた「結果」よりも、その結果を得るための様々な「方法（アプローチ）」に注目して学んでいきます。

ENRICH YOUR EDUCATION

教養を豊かにする

🔍 登場する主なキーワード

☑構成主義心理学	☑内観	☑行動主義心理学	☑刺激
☑反応	☑精神分析	☑無意識	☑エス
☑欲求	☑超自我	☑現実原則	☑快感原則
☑認知心理学	☑身体操作論	☑動物行動学	☑本能
☑ゲシュタルト心理学		☑ゲシュタルト崩壊	

4-1 近代の心理学
―心を科学のように知ろうとした―

科学としての心理学は、19世紀から始まります。 近代 ① の心理学では、心を科学的なアプローチで研究しようとしていました。まずはその立場を把握してみましょう。

① 意識を要素に分ける

科学は 対象 ② を分解し分析することで、合理的な 法則 ③ を導こうとします。これと同様に心理学も、「心」を 要素 ④ に分解して、どのように 構成 ⑤ されているかを把握しようとしました。

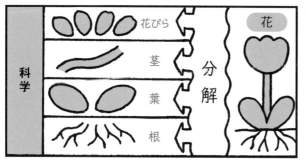

科学は対象を分解し、分析することで法則を導く。

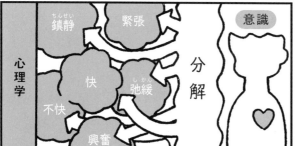

心理学も意識を要素に分解し、分析することで法則を導こうとした。

2 意識を内観する

また、それら要素を発見するために、自らの意識の内側を覗き込む「 **内観**
❻ 」という**方法**がとられていました。

[構成主義心理学]

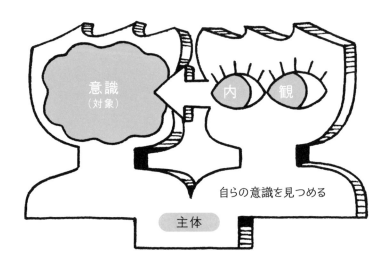

意識
（対象）

内 観

自らの意識を見つめる

主体

自分が今どのように知覚し、意識しているのかを、自らが客観的に観察しようとする。

このような立場の心理学を **構成主義心理学** ❼ といいます。20世紀の「心」の
把握は、この構成主義心理学への反発から生まれます。

4-2 20世紀の心理学
―まとまりと行動と無意識に注目した―

次は、構成主義への反発から生まれた心理学の3つの流れを追っていきます。

1 意識を要素ではなくまとまりで捉える

私たちの意識は、物事を要素の集合体と捉えるのではなく、**ひとつの全体的なまとまり**と捉えます。このような全体的なまとまりを **ゲシュタルト** ⑧ といい、私たちの意識を全体のまとまりとして研究する立場を **ゲシュタルト心理学** ⑨ といいます。

[ゲシュタルト心理学]

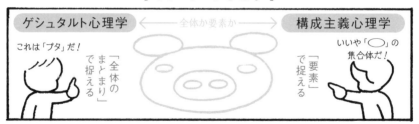

人は大小様々な◯を、ひとつのまとまり（ゲシュタルト）として捉えようとする。要素で捉えようとする構成主義心理学に反し、全体としてのまとまりで意識を把握しようとする。

[ゲシュタルトスイッチ]

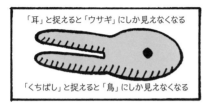

同じひとつのものでも、まるで違うまとまりとして見ることができる。

[ゲシュタルト崩壊 ⑩]

ひとつの文字を、ずっと見続けたり書き続けたりすると、今度はだんだんとひとつのまとまりとして認識できなくなってくる。

2 意識ではなく行動に注目する

私たちの意識は、その存在を物質のようにきちんとは把握できません。しかしそれでは、心理学が本当に科学であるとはいえなくなります。そこで、**ある 刺激 ⑪ に対して 反応 ⑫ した行動だけを研究対象にしようという立場**が生まれました。これを 行動主義心理学 ⑬ といいます。

「内観」した「意識」を客観的対象にした心理学は本当に「科学」といえるのか。

[行動主義心理学]

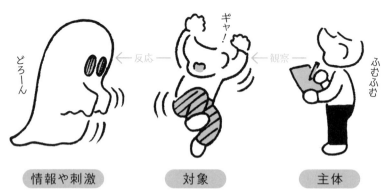

それよりも、情報や刺激に「反応」する「行動」を研究対象にしたほうが、
より「科学」なのではないか。

また、**行動主義**では**刺激に対する直接的な反応**が研究対象でしたが、**新行動主義**になると、**刺激に対する対象（人間や動物）である生体の状況や学習経験など**が **媒介** ⑭ **した反応**も考えられるようになりました。

［ 行動主義 ］

S
Stimulus
刺激

R
Response
反応

肉

食べたい

行動主義は、刺激と反応の単純な組み合わせ。

［ 新行動主義 ］

S
Stimulus
刺激

O
Organism
生体の媒介

R
Response
反応

肉

3日間、何も食べてない

とても食べたい

新行動主義では、その間における対象の身体的状態や学習経験なども考慮される。

③ 意識ではなく無意識に注目する

私たちの 意識 ⑮ は「心」の中のほんの表層にすぎません。そこで、さらに深層にある 無意識 ⑮ を研究対象にする立場が生まれました。それが 精神分析 ⑯ です。

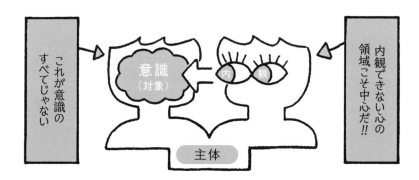

「意識」は本当に「心」の中心か？ 「意識」だけ研究対象にしていいのか？

[精神分析]

自らでは自覚できない「無意識」を研究対象とする。

精神分析によると、私たちの意識は、**無意識の エス** [17]（**衝動** [18] ・生理的 **欲求** [19] など）と **超自我** [20]（親の教えや **モラル** [21] など）のせめぎ合いを調 **停する立場**にあります。

意識	前意識	無意識
自覚できる	ぎりぎり自覚できたり できなかったり	自覚できない

←――― 自我 ―――→

←――――――――― 超自我 ―――――――――→
親のしつけやモラル等

←――― エス ―――→
衝動や生理的欲求など

前意識（意識と無意識との中間の領域）や無意識の中には
「超自我」と「エス」が存在する。

およしなさい

ああああ〜〜

やっちゃえ〜

超自我
現実原則 [22]
にのっとる

エス
快感原則 [23]
にのっとる

意識（自我）

自我 [24] は両者のバランスをとろうとするが、どちらに傾きすぎても、
社会的にも心理的にもおかしなことになる。

これらの立場が合わさって現代の主流の心理学である、**認知心理学**につながっ
ていくのです。

4-3 現代の心理学
—人間の認知の仕方を知ろうとした—

ここでは、**認知心理学** 25 や、「意識」についての様々な新しい考え方を知りましょう。

1 認知心理学の隆盛（りゅうせい）

認知心理学とは、**人間がどのように物事を知覚し、記憶し、考えるかなどの、人間の認知活動について研究する学問**です。

認知心理学は今までの流れを踏まえて、総合的に「心」が外界の情報をどう処理するか、そのメカニズムを探ろうとした。

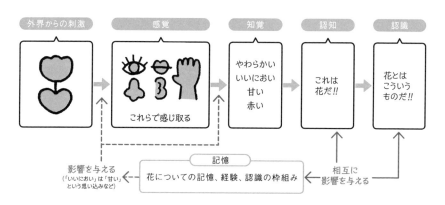

外界の情報を生体の感覚器官で感じ取り、どのような「**感覚** 26 」が得られたのかを「**知覚** 27 」する。そして「知覚」した情報をもとにして、それがどのようなものであるかを「**認知** 28 」し、「**認識** 29 」する。

また、この研究をもとにして、**人工知能** 🉐 の研究も進められます。

「人と同じ感情を持つ機械」というよりも、
「人と同じ認知と行動を実現できる機械」を求め、研究が進められている。

機械も「学習」と「推論」を手に入れて、人の頭脳と対等以上になろうとしている。

犬と同じ思考・感情（心）を持った機械

犬と同じ反応・ふるまいをする機械

「心」に近いものを持つことでは、「生きものらしさ」を手に入れることはできない。

むしろ「生きものに近い反応」を機械に与えたほうが、「生きものらしさ」を手に入れることができる。

② 意識を身体とのかかわりから見直す

私たちの持つ身体は、**太古の時代から遺伝によって引き継がれてきた情報や** **本能** ㉛ **と呼ばれるものの影響を受けたもの**です。その身体を有している私たちの心も、その影響を受けたものになります。

[**身体操作** ㉜ 論]

人はゆっくり動いているときに、頭の中で早口言葉を言いにくい。

人は素早く動いているときに、頭の中でゆっくりした言葉を言いにくい。

精神が身体の動きに影響を受けるならば、身体の操作により精神をコントロールできるのでは？
➡ 身体を細かい領域まで操ることによって、
精神状態をコントロールするという方向性が注目されている。

[**動物行動学** ㉝]

クジャクのオスが美しい羽を広げるのは、メスへのアピールといわれている。

男性が鍛え上げた筋肉など、男らしい部分を見せるのも、女性へのアピール？

動物の行動を研究する動物行動学は、かなりの領域で人間にも当てはまる。
ということは、私たちの精神は、人間の「動物的身体」に操られているともいえる。

❸ 意識を脳とのかかわりから見直す

20世紀後半以降、発達した脳科学によって様々な発見がなされています。私たちの心と脳は相互の影響を受ける関係にあるようです。

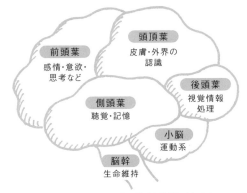

脳は位置によってそれぞれ役割分担がなされている。
したがって、刺激によって反応する脳の部位も変化する。

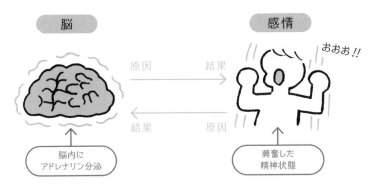

人間の感情は **脳内物質** ③④ が分泌されることで影響を受けるし、
人間の感情によってそれに応じた脳内物質が分泌される。
➡相互作用となっている。

「心」にまつわるお話は以上です。近代以降の心理学の流れをざっと追っていきました。これらのお話を下地にして、これからの心理学にも注目していきましょう。

KEYWORD & KEYPERSON
重要用語と重要人物を掘り下げる

近代の「意識」を「要素」に分解して内観する心理の研究への反動から、20世紀からは「まとまりとして捉える意識」の研究、「刺激と反応(行動)」の研究、「無意識」の研究に移行していきました。そして、それらを総合して人間の認知メカニズムを解明する「認知心理学」が誕生しました。現在では、脳や身体とも関連づけて研究され、人工知能への応用もなされています。

※これまでのChapterですでに登場したワードは、簡単な意味のみ再掲しています。

4-1
近代の心理学
心を科学のように知ろうとした

KEYWORD

❶ 近代 （▣Chapter1）
世界史では、主に19世紀ごろから20世紀前半ごろ（第一次世界大戦終了）までの時代を指す。

❷ 対象 （▣Chapter1・2）
主体が捉えようとする相手。

❸ 法則 （▣Chapter1）
同じ条件のもとなら必ず成立する根本原理。

❹ 要素
element
物事を成り立たせるものの、ひとつひとつの成分や性質。
➡対象を要素に分解し、分析することで法則を導くことが、近代科学の主流だった。

❺ 構成
composition / construction
いくつかの要素を集めてひとつのまとまりを組み立てること。
➡「構成」は内部の要素の組み立てを見るが、「構造」は全体のからくりを見る点で異なる。

❻ 内観
introspection
自身の内面を観察すること。
➡「省察」も同義語。自らを省みて己を観察すること。

❼ 構成主義心理学
structural psychology
意識を様々な要素に分解し、その組み立てを研究する心理学。
➡哲学の「構造主義」と区別するために、「構成」という日本語訳にしたといわれている。

> **4-2**
> **20世紀の心理学**
> まとまりと行動と無意識に注目した

KEYWORD

---

❽ ゲシュタルト
gestalt〈独〉

物事を部分の組み合わせと考えるのではなく、ひとつのまとまりとして全体を捉えること。形態。

➡ 該当する英語がなかったため、そのままドイツ語が用いられたといわれている。

❾ ゲシュタルト心理学
gestalt psychology〈独〉

意識を要素の集まりではなく全体のまとまりとして捉えようとする心理学。

➡ 要素に分解する構成主義心理学への反発から生まれた。

❿ ゲシュタルト崩壊
gestaltzerfall〈独〉

まとまりとしての全体性が失われて、分からなくなってしまうこと。

⓫ 刺激
stimulus

何らかの反応を起こさせる外部からの働きかけ。

➡ 心理学においては、外部からの情報を「刺激」と考える。「ぴりぴりする」というような意味合いとは異なる。

⓬ 反応
response

外部からの刺激に応じた何らかの変化や活動。

➡ 刺激と反応の関係や、法則性を探るのが行動主義心理学といえる。

⓭ 行動主義心理学
behavioristic psychology

行動を研究対象にした心理学。

➡ 意識を研究対象にする構成主義心理学への反発から生まれた。ちなみに刺激と反応の間に媒介する環境・身体・経験なども考慮するのが新行動主義心理学。

⓮ 媒介
medium

間に入ってとりもつこと。

➡ 間に入ってとりもつ「何か」が「媒体」で、間に入ってとりもつことで何らかの反応を与える物質を「触媒」という。

⓯ 意識・無意識　　▣Chapter2)

自己の中で自覚できている内面が意識で、自覚できない内面が無意識。

※〈独〉：ドイツ語を表す。

⑯ 精神分析

psychoanalysis

精神の無意識を研究する方法。

➡意識を研究対象にする構成主義心理学への反発から生まれた。

⑰ エス

es〈独〉

無意識の中にある本能的な衝動や欲求のこと。

➡イド（id〈羅〉）も同じ意味。これに従いすぎると現実の社会生活に影響をきたす。

⑱ 衝動

impulse

抑えられない心の欲求。

⑲ 欲求

need

生理的な安定状態（ホメオスタシス）がくずれたときに、それを満たすための行動を起こそうとするもの。

➡「欲求」は生理的なもので、「欲望」は社会的なもの。「要求」は積極的に相手に求めること。

⑳ 超自我

super ego

衝動や欲求（エス）を抑えようとするモラルや良心。

➡親のしつけや社会的規範によってつくられ、意識と無意識にまたがっている。これに従いすぎても、エスが抑圧されすぎて現実の社会生活に影響をきたす。

㉑ モラル

moral

自分の行為を自発的に縛る規範。

➡社会的規範と必ずしも合致するとは限らない。人殺しを禁じない国では、人殺しをしないというモラルは社会的規範と異なる。

㉒ 現実原則

reality principle

現実の生活に即しているほうを優先して選択する傾向。

➡エスと超自我の狭間で、自我は現実原則に従って行動しようとする。

㉓ 快感原則

pleasure principle

快を得るほうを優先して選択する傾向。

➡エスは快感原則に従って行動しようとする。

㉔ 自我　（◻Chapter2）

意識し行為する主体としての自己。

※〈独〉：ドイツ語、〈羅〉：ラテン語を表す。

4-3
現代の心理学
人間の認知の仕方を知ろうとした

KEYWORD

㉕ 認知心理学
cognitive psychology
人間の知覚や思考や記憶などの認知活動を研究する立場。
➡心理学を科学にした19世紀心理学からの流れと最新の科学を踏まえた、総合的な研究といえる。

㉖ 感覚
sense
目や耳や皮膚などの感覚器官で外部からの刺激を受け取ること。
➡感覚器官は生体の内部にあるので、感覚とは、ある意味自己の内側を観ることになるといえる。

㉗ 知覚
perception
感覚で得られた情報をもとに、意味を持ったものとして受け取ること。
➡知覚は外部からの刺激をどう受け取るかなので、知覚とは、ある意味自己の外側を観ることになるといえる。

㉘ 認知
cognition
知覚で得られた情報をもとに脳内で処理すること。
➡認知は心理学の概念で客観的であり、認識は哲学の概念で主観的であるといえる。

㉙ 認識 （▶Chapter2·3）
物事の本質まで分かること。

㉚ 人工知能
artificial intelligence（AI）
コンピュータ上で人間と同じような知能を得ること。
➡人間と同じような考えを持つAIよりも、人間と同じようなふるまいをするAIのほうがより人間らしく感じられることから、人間と同様のふるまいの選択をするAIの研究が近年主流になっている。また、近年のコンピュータは蓄積できる情報量が膨大になり、しかも必要な情報選択が瞬時で的確になったことから、より膨大な行動パターンをインプットして、状況に合わせて必要な行動パターンを実行する方式がとられている。すなわちAIは、選ぶだけで考えてはいない。

㉛ 本能
instinct
動物が生まれつきに持っている行動能力。

㉜ 身体操作
physical control
身体を細かい領域まで操ること。
➡身体の細かい動きまで内観し、操ること
の重要性や、それにともなった精神状態の
変化が今注目を浴びている。

㉝ 動物行動学
ethology
動物の行動を研究する学問。
➡動物の行動の研究を通して、人間の行動
の意味も明らかにしようとしている。

㉞ 脳内物質
brain substance
脳内にまわることで精神状態に影響を与え
る化学物質。

5

Chapter.

**The Most Intelligible Guide
of General Knowledge in the World**

文化
Culture

グローバル時代に「文化」をどう捉えるべきか

この章では、自文化中心主義から文化相対主義までの、「文化」の捉え方の変遷を追っていきます。そこから時代ごとの様々な文化観を学んでいきます。さらにメディア文化と「物語」の関係も学んでいきます。

Q 登場する主なキーワード

文化	文明	市民	都市
インフラ	民族	価値観	自文化中心主義
文化相対主義	世間	文化人類学	多文化主義
活版印刷術	啓蒙	マスメディア	インターネット
グローバル化	小さな物語		

5-1

文化 にまつわるお話をする前に、まずは 文明 と文化のおおまかな違いを確認しておきましょう。文化と文明に明確な定義はありませんが、なるべく多くの文章に当てはまるような説明をしていきます。

1 文明とは

文明（civilization）の語源はラテン語の「**市民**（civis）」や「**都市**（civitas）」といわれています。**人々が自然をつくりかえて都市をつくった**とイメージしましょう。

人々は、自然を改変して道をつくり、橋をつくり、建物をつくって生活を営む。

そこから、**ある地域のある期間における、都市整備（ インフラ ）、技術や芸術、社会経済システム**を含めて「**文明**」と考えます。

エジプト文明は、「エジプト」の「紀元前」における建造物、技術、芸術等を指す。主に物質的領域が多い。

また、「**現代文明**」というと、**西欧発祥の科学技術と社会経済システムにのっとった都市のあり方のみ**を指しているケースが多いようです。

2 文化とは

文化(culture)の語源はラテン語の「**耕す**(cultura)」といわれています。**人々が集まっ
て大地をみんなで耕している姿をイメージ**しましょう。

人々は、大地を耕して作物という収穫を得ようと、ともに活動する。

そこから、**ある地域のある期間における、人々の共通した行為、思いや生活習慣、
それによってつくられたモノ**などを含めて「**文化**」と考えます。

流行	思想

歌舞伎 　　　　　浮世絵

武士たるもの
義理人情を重んじ
文武両道に努めるべし

元禄文化は、「江戸」の「元禄年間（江戸時代前期）」における流行や思想、
それにともなった技術や芸術等を指す。主に**精神** 的領域が多い。

文化の規模が大きくなって文明になったと考える立場もありますし、文明はあくまでも建築や発明などの物質的あり方であり、文化はあくまでも行為や思いなどの精神的あり方であると考える立場もあります。**解釈は様々**ですので、臨機応変に解釈しましょう。

未開 → 発展 → 文化 → 発展 → 文明

歴史を重ねるごとに人も社会も進歩するという考え方では、
このように捉えることもできる。

文化 ← → **文明**

精神的なもの

伝統／流行／
思想／宗教

物質的なもの

建造物／道具／
発明品／設備

文化と文明を精神と物質に分ける考え方では、このように捉えることもできる。

文化と文明の違いについての解釈は様々

また、現代において、「**文化の違い**」というと、**国や地域や 民族** ごとの、**生活習慣や 価値観** の違いを指しているケースが多いようです。

次に、近現代に至るまでの西欧社会を通して、西欧以外の文化が西欧人の目にどのように映っていたのかを見ていくことにしましょう。

1 西欧の価値観

キリスト教の価値観の影響を受けた西欧では、**非キリスト教社会は「間違った社会」**として映ります。

自分たちの価値観の基準のひとつである
キリスト教以外を信仰する人々を野蛮な存在とみなす。

また、近代以降になり **近代合理主義** の価値観の影響を受けると、**非近代合理主義社会は「劣った社会」**として映ります。

自分たちの価値観のひとつである
近代合理主義以外の人々や文化を劣った存在とみなす。

2 歴史的進歩主義

18世紀以降、「人類や社会は、歴史を重ねることによってだんだんと進化していくものである」という、**歴史的 進歩主義** という考え方が広まりました。それによって、西欧社会は進化の先に進んだ「先進」であり、**非西欧社会は「遅れた社会」**として映ります。

[歴史的進歩主義]

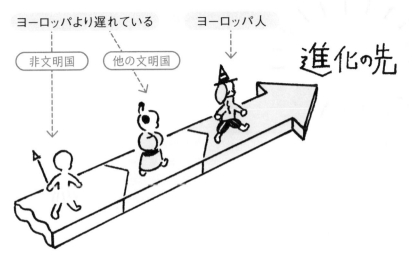

世界の進歩をひとつの直線として捉える歴史的進歩主義では、
西欧の科学文明が進化の先にあり、
世界中がやがて西欧のような科学文明になると考える。

3 国民国家主義

19世紀になると、近代西欧諸国は、国民に国家への **帰属** と一体感を求める **国民国家** 主義政策をとります。その場合、国の中は、**同じ文化、同じ言語、同じ民族で統一**されたほうが、国民の一体感や帰属意識が強くなると考えました。

[国民国家主義政策]

ひとつの国家の中がひとつの文化、ひとつの言語、ひとつの民族のはずはない。しかし、ひとつということにして、国民の一体感を高めようとした。

国民国家主義政策下の国民のほうが、国への帰属意識によって、より国家への貢献度が高まると考えた。

そうすると、同じ西欧内ですら、自分たちの国はすばらしく、**自分たち以外の国は「劣った社会」**として映ります。

自分たちの国の中での一体感は、同時に、
自分たち以外の国への差別意識を生んでしまう。

4 自文化中心主義

このように、自分たちの国家や民族を優れているとし、他の国や民族を劣ったものとして捉える考え方を、「**自文化中心主義**」といいます。

[自文化中心主義]

主に近代以降の「進歩主義」と「国民国家主義」によって生まれた

「民族」も「文化」も近代以降になって注目されたものであり、
絶対 的なものではないが、自文化中心主義はこれを絶対視した。

5-3

今度は、20世紀以降の文化の捉え方を把握していきましょう。文化の多様性が **尊重** されるようになります。

1 文化相対主義の価値観

自文化中心主義の考え方への反発として、20世紀より、様々な文化を尊重する「 **文化相対主義** 」という立場が生まれます。文化相対主義の立場では、それぞれの文化に優劣はなく、地域ごとの風土や気候や状況などの様々なかかわりに適応して、それぞれの文化が育まれたと考えます。

プライバシーという考え方がない生活では、お互いの関係を保つ「 **世間** 」が育つ。

家の中でプライバシーを保てる生活では、自己を省察する「 **自我** 」が育つ。

たとえば、日本と西欧を比較したときに、「西欧にあって日本にないもの」「日本にあって西欧にないもの」で見たらお互いが自文化中心主義になる。そうではなく、「それぞれの文化が手に入れたもの」を見ようとする。

2 文化人類学

また、同じく20世紀より、様々な文化に共通する **構造** を見出す「**文化人類学** 」という学問が、**レヴィ＝ストロース** を中心として広まります。

[文化人類学]

様々な文化の構造（全体のからくり）を見出すことで、
普遍 的な共通性を見出そうとした。

文化人類学の立場では、**それぞれの文化には目には見えない共通した構造があり、われわれは 無意識 にその構造に従って行動している**と考えます。

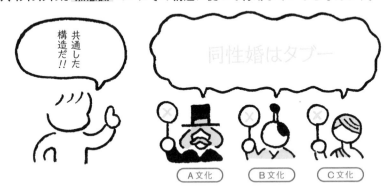

たとえば、多くの文化で、かつて同性婚はタブー視されていたが、実は、
同性婚が間違いである根拠はない。にもかかわらず、ほぼ共通したものとして
文化の中に存在し、われわれは無根拠にそれを信じて行動している。

3 多文化主義経営

第二次世界大戦以降、経済活動において**グローバル化**が進んでいくことで、様々な国の商品が世界中で売られるようになります。そうすると、**国際的に経済力の高い国の商品ばかりが世界的に広まる**ようになります。

しかしその一方で、文化の異なる国に自分の国の商品をそのまま売りつけても売れません。そこで、**それぞれの国の文化に合った商品につくりかえて**販売します。これを**多文化主義**　　　経営といいます。

[多文化主義経営]

アメリカの商品が世界中に輸出され、世界が均質化する傾向をもたらす。

アメリカの商品を文化の異なる他国へそのままの形で売り出しても、通用しないことが多い。

商品や販売戦略を相手国の文化に合わせることで、現地の文化に根付かせることができる!!

しかし、多文化主義経営によって**地域ごとの文化や独自性に合わせた経営をすること**は、逆に、**各地域の独自性を強調する**ことにもなります。それによって各地域の人々の自文化中心主義を増長させる恐れも出てきます。

自分で自分たちの独自性は自覚しづらいが、
外国が自国の文化の独自性を取り上げることによって、「独自性の自覚」が起きる。

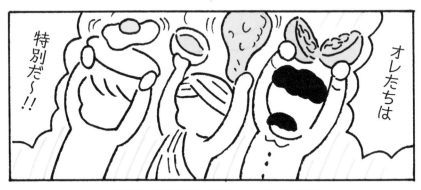

その独自性を**アイデンティティ**【24】化することで、
自文化中心主義が増長されてしまう恐れもある。

4 文化相対主義の問題

異なる文化の人々が共存する場合、いくら相手の文化を尊重しようとしても、様々なトラブルが生じる可能性があります。そこで、**どこまで文化の異なる 他者を受け入れられるか**、歩み寄りが求められます。

異なる文化を尊重し、受け入れるとはいっても、両者の歩み寄りがなければ、受け入れることはできない。

文化相対主義は、国ごとの関係が良好な場合ではうまく機能しますが、**各国間の情勢が不安定な場合ではうまく機能せず、自文化中心主義の立場が大きく**なります。

両者の関係が良好な場合は違いを認めやすい。

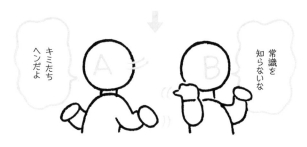

両者の関係が悪化すると、とたんに自文化中心主義になりやすい。

また、自文化中心主義や国民国家主義の社会では、あるべき自分のアイデンティティは、それぞれの文化を体現した人がモデルになりますが、**文化相対主義においてはそのような文化の体現者はアイデンティティのモデルにはなりにくく、あるべき自分の姿を見失いやすくなる**恐れもあります。

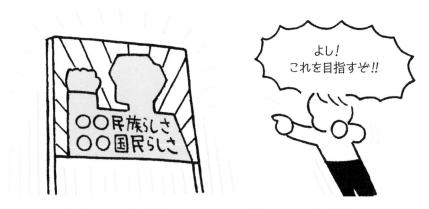

自文化中心主義や国民国家主義の世界では、国民に「あるべきモデル」が提示されるために、
アイデンティティのモデル（模倣先）に悩むことはあまりない。

文化相対主義では、様々な文化の導入や融合が奨励されて、
自文化に**固執**することが否定されるため、「あるべきモデル」が分かりづらくなる。

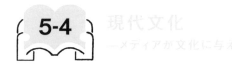

5-4 現代文化
—メディアが文化に与える影響—

最後に、現代の文化について軽く触れておきましょう。現代の文化に至るまでの
メディアの変化から追っていきます。

1 マスメディアと大きな物語

15世紀に西欧で **活版印刷術** が発明されました。これによって、**一人の思想
を多くの人々に 啓蒙** できるようになりました。

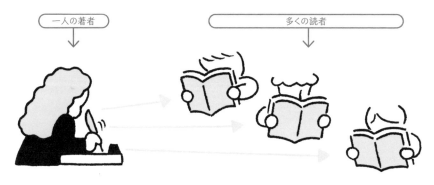

著者 の語源はauthority（権威者）であり、
多くの人々に自らの思想を広められる著者は権威ある存在だった。

近代以降、誰もが同じ生き方や価値観や理想（生きる「 **物語** ⑳ 」）を追いかけることを「**大きな物語**」といいますが、これには **マスメディア** ㉛ も大きく関与したといえます。

テレビ　　　ラジオ　　　新聞

書物以上の大きい規模で情報を広められる。
➡人々の持つ知識や価値観も似通う。
➡求める生き方も似通う。

テレビドラマなどの影響

誰もが同じ生き方を目指すようになる「大きな物語」は、
マスメディアに影響されてできた点も大きい。

2 ネットメディアと小さな物語

20世紀後半から、**インターネットメディア** が普及します。それによって、数多くの人々が**自分が求めるそれぞれの情報を得られる**ようになります。

ひとつの情報を皆に伝える今までのメディアとは異なり、人それぞれがどういう情報にアクセスするかで得られる情報が変わる。

かつての時代では、少数の書物の著者が、多数の読者を啓蒙（けいもう）する形でしたが、現代のSNSなどが普及したネット環境では、誰もが著者になり世界中に発信できます。

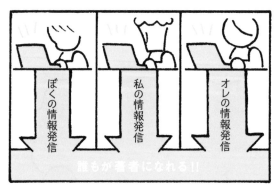

少数の著者が多数に伝える今までのメディアとは異なり、多数の著者（発信者）が多数に伝えることができる。

現代において、生き方や価値観や理想が人それぞれになり、多様化した状況のことを、「**小さな物語**」といいますが、これには**ネットメディアも大きく関与**しているといえるでしょう。

ぼくの生き方

私の生き方

オレの生き方

ネットで得た情報から様々な選択をする

人それぞれ生き方が多様化する「小さな物語」は、
ネットメディアが増長させた点も大きい。

Chapter5のお話は以上です。　**グローバル化**　　した現代において、**文化のあり方については様々な立場や考え方があり**、何が正しいという訳ではありません。だからこそ、グローバル化の時代では「それぞれの正しさ」を尊重しあうことが必要なのかもしれません。

KEYWORD & KEYPERSON

重要用語と重要人物を掘り下げる

近代の国民国家がつくった自文化中心主義に対する反動として、全ての文化を対等に考える文化相対主義が生まれましたが、グローバル化した時代では様々な問題も浮かび上がっています。また、マスメディアのつくった「大きな物語」と、ネットメディアのつくった「小さな物語」、これらの交錯した状況が、現代の文化の特徴のひとつと言えるのです。

※これまでのChapterですでに登場したワードは、簡単な意味のみ再掲しています。

5-1
文化と文明
文化とは何か、文明とは何か

KEYWORD

❶ 文化
culture
ある地域の人々の生活様式全般。
➡風習・習慣・価値観・思考・技術・芸術・宗教など、人々の精神的活動やその成果を主に指す。

❷ 文明
civilization
都市を形づくる、人知がもたらしたもので、主に物質的なもののことを指す。
➡文明と文化をほぼ同義で用いることも多い。

❸ 市民
citizen
都市社会を構成する自立した個人。
➡「市民社会」といえば、王や君主ではなく市民が中心となる社会を指す。

❹ 都市
city
人口が集中する繁華な都会。

❺ インフラ
infrastructure
生活の基盤を形づくる施設などの総称。
➡道路・港湾・水道・学校・病院・公園など、都市生活の土台になるもの。

❻ 精神　（▣Chapter2）
認識や思考する人間の心の領域。

❼ 民族
ethnic group
共通の先祖や神話や言語や生活様式を持つ集団。
➡生まれや遺伝子などで明確に区別できるものではなく、実は想像の産物でしかない。

❽ 価値観
values
物事に対して「正しい」「よい」「美しい」などと判断する基準となるもの。
➡価値観は主に、各時代や地域における生活習慣や風習や宗教によって育まれる。

5-2
自文化中心主義
自分たちの文化が優れている

KEYWORD

---

⑨ 近代合理主義 （▶Chapter1〜3）
「科学性」「合理性」を「正しさ」の価値基準
とする考え方。

⑩ 進歩主義 （▶Chapter1・2）
人や世界は進歩していくものだという思想。

⑪ 帰属
belong
社会や組織などに所属して従うこと。

⑫ 国民国家 （▶Chapter1・2）
「〜民族」「〜言語」「〜文化」のように国民を
ひとつのまとまりのある構成員として統合
することで成立する国家。国民の忠誠や帰
属意識を強める国家政策のもと生じた。

⑬ 自文化中心主義
ethnocentrism
自分が所属している文化の価値観を基準
にして、他の文化を見ること。
➡多くの場合、自分たちの文化を優れてい
ると捉えがちになり、他の文化を差別する
傾向にある。

⑭ 絶対・相対
absolute / relative
物事を他と比べることなく捉えるのが絶対
で、他と比べて捉えるのが相対。
➡絶対視とは、他と比べずにそれだけを正
しいと思い込むこと。絶対的とは、他に比
較対象や例外が存在しないこと。

5-3
文化相対主義
どの文化もすばらしい

KEYWORD

⑮ 尊重
respect
価値ある、尊いものとして大事にすること。

⑯ 文化相対主義
cultural relativism
すべての文化は対等で、優劣などないとする考え方。

⑰ 世間
world
人々の交友関係内の社会。
➡もともとは仏教における世界を表したものだが、主に人々の交友関係内の社会を指すようになり、日本では特にその中で生活する人の行動の規範になった。

⑱ 自我 （▶Chapter2・4）
意識し行為する主体としての自己。

⑲ 構造 （▶Chapter3）
物事に内在する普遍的なからくり。

⑳ 文化人類学
cultural anthropology
文化圏ごとに共通する見えない構造を明らかにする学問。

㉑ 普遍 （▶Chapter1・2）
いつの時代、どこの場所でも通じること。

㉒ 無意識 （▶Chapter2・4）
自己の中での自覚できない内面。

㉓ 多文化主義
multiculturalism
それぞれの文化を対等なものとして認め合うこと。
➡これも多様な意味で用いられるが、主に交流促進の立場と考えるとよい。「多文化主義経営」は、相手先の文化に合わせた経営戦略を指す。日本のご当地グッズも国内における多文化主義経営といえる。

㉔ アイデンティティ （▶Chapter2）
「自分らしさ」をしっかり持ち、そうあり続けること。

㉕ 他者 （▶Chapter2）
自分で「自分以外だ」と思っている範囲。

㉖ 固執
persistence
自分の意見にこだわり、譲らないこと。

KEYPERSON

① レヴィ=ストロース

Claude Lévi-Strauss（1908〜2009）

フランスの文化人類学者。文化や神話の構造を明らかにした構造主義は、その後の多くの思想に影響を与えた。

5-4
現代文化
メディアが文化に与える影響

KEYWORD

㉗ 活版印刷術 （▶Chapter1）

かっぱんいんさつじゅつ

本の大量印刷を可能にした技術。

㉘ 啓蒙（啓蒙思想） （▶Chapter1）

けいもう

人々に正しい知識や考え方を教え、広めること。

㉙ 著者

author

書物を書いた人。

➡かつて著者は人々に啓蒙する力を持つ権威ある人だったが、ネットメディアの普及から、誰もが著者（発信者）になれるようになり、著者の権威が薄れはじめた。

㉚ 物語（ストーリー） （▶Chapter1·3）

人の生き方や社会のあり方。

㉛ マスメディア

mass media

不特定多数の人々に情報発信する手段・媒体。

➡新聞・雑誌・ラジオ・テレビ・ネットなど。マスコミとはマスメディアにより情報を伝達すること、もしくは伝達する人たちを指す。

㉜ インターネットメディア
internet media
インターネットを使った情報伝達の手段・媒体。
➡インターネットメディアのほうが情報が膨大で即時的である。また、SNS（インターネットで人々の交流を促進するサイト）の普及によって、誰もが情報を発信できるようになった。

㉝ グローバル化　（▶Chapter1・2）
人間の活動が、国境などの制約をこえて世界規模化すること。

6

Chapter.

The Most Intelligible Guide
of General Knowledge in the World

経済
Economy

人は「経済」とどうかかわってきたのか

この章では、主に資本主義経済の変遷を追っていきます。ここでは、経済学や経済用語の説明や、「経済の大きなうねりと流れ」をストーリーとして学んでいきます。

ENRICH YOUR EDUCATION

教養を豊かにする

🔍 登場する主なキーワード

☑資本主義　　　☑資本家　　　　☑労働者　　　　☑産業革命

☑商業資本主義　☑問屋制家内工業　☑工場制手工業　☑産業資本主義

☑機械制大工業　☑自由放任主義　☑見えざる手　　☑失業率

☑巾場　　　　　☑世界恐慌　　　☑修正資本主義　☑新自由主義

☑サブプライム危機　☑リーマンショック

資本主義の始まり
—資本主義のシステムを把握しよう—

ここでは、 **資本主義** ① 社会を軸に、経済分野の歴史的な流れを追いかけていきます。最初に、資本主義そのものの理解から始めていきましょう。

① 資本主義とは

資本主義とは、平たくいえば、 **資本家** ② （お金持ち）が **労働者** ③ を雇って働かせ、労働の対価として報酬を払うシステムです。

[資本主義のシステム]

資本家は自分では直接的な労働はせず、 **資本** ④ を投じ、
労働者にお金を与えて働かせる。

労働者が働いて得られた **利益** ⑤ は、資本家のものになる。

まずは、 産業革命 ⑥ 以前の資本主義のシステムに軽く触れておきます。

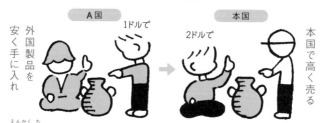

[商業資本主義 ⑦]

外国製品を安く手に入れ

Ａ国　1ドルで　2ドルで　本国

本国で高く売る

遠隔地の価格差で利益を得る。ここでは国家が大きく関与していた。

[問屋制家内工業 ⑧]

道具も材料も貸すから、各自、家でつくってくるように！

職人たち

資本家の指示通り働く職人たちは、「労働者」の立場に近づいていく。

[工場制手工業 ⑨]

たくさんつくれ〜

賃金で働く労働者を雇い、分業させることで大量生産ができる。

このように、**資本家は利益を得るために製品を大量に生産する方法を模索**していきます。これらの流れを経て、イギリスから産業革命が始まり、先進国は高度消費文明に移行していきます。

6-2 産業資本主義
―産業資本主義は、
お金持ちがよりお金持ちになるシステムだった―

次に、近代の 産業資本主義 ⑩ の流れを追いかけていきましょう。近代の出来事でありながら、現代にも密接にかかわるものです。

1 産業資本主義とは

18世紀後半から19世紀前半にかけて、**大工場で機械を使った大量生産（ 機械制大工業 ⑪ ）**がイギリスから始まりました。**産業革命**です。

before

ひとつの織物を数人の手作業でつくる。➡1年で数枚

after

それぞれの工程を分業して行い、機械を用いて大工場で大量に生産する。
➡1年で数千枚

この大量生産システムの産業資本主義は、**もともとお金持ちだった資本家がますますお金持ちになるシステム**です。このシステムでは貧富の差がますます増大していきます。

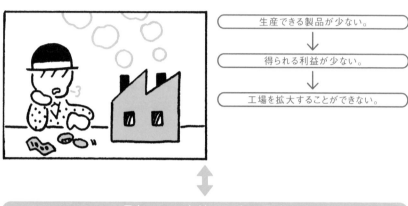

最初に持っているお金が少ない人の場合

生産できる製品が少ない。
↓
得られる利益が少ない。
↓
工場を拡大することができない。

最初からお金持ちの人の場合

はじめから大工場をつくることができる。
↓
得られる利益が大きい。
↓
得られた利益でさらに工場を拡大できる。
↓
どんどんと、よりお金持ちになる。

産業資本主義になると、貧富の差はますます拡大し、
お金持ちが大きな力を得るようになる。

2 世界 恐慌へ

この時代、資本主義経済とは、**国家が市民の自由な経済活動に関与しない** 自由主義 ⑫ 経済を意味します。お金持ちは国家の制約もなく、自由にどんどんと利益を追求していきます。

需要と供給のバランスが自動的によくなるはず…

[自由主義経済]

アダム＝スミス ① によると、国家がなるべく関与しない「 自由放任主義 ⑬ 」の経済活動のほうが「 見えざる手 ⑭ 」が働いて、よい方向に動いていくとされた。

しかし実際には、資本家が自己の利益ばかりを追求し続けることで、やがて 需要と供給 ⑮ のバランスが崩れます。

やまほどつくれ〜!!

つくればつくるほど売れると思い込んだ生産者側は、大工場で勢いよくどんどん製品をつくった。

Nooooo!!

しかし、「見えざる手」は働かず、需要が思うように増えなかった。このため多くの工場が閉鎖して、たくさんの人が職を失い、**失業率** ⑯ が上がった。

自己の利益ばかりを追求する資本家たちの行為は、**市場** ⑰ も混乱させます。これらが世界規模にまで影響を与えることによって、**世界恐慌** ⑱ につながっていくのです。

お金持ちの資本家は国家からの歯止めもなく、どんどん **株式** ⑲ に **投資** ⑳ する。
➡ **投機** ㉑ 目的

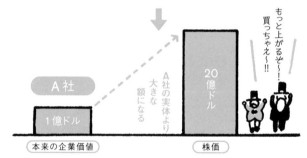

株式がどんどん求められることで、需要と供給のバランスが崩れて、
株価が不自然に上がってしまう。

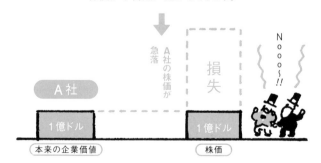

株価が急落すると、
株価が下がった分すべてが損失になってしまう。

③ ケインズ主義経済

世界恐慌時、多くの国家は **公共事業** ㉒ **などの国家政策**によって、経済の危機を脱しようとしました。

国が公共事業を通じて経済に関与することで、
危機を脱しようとした（ニューディール政策〈アメリカ〉など）。

この世界恐慌をきっかけとして、自由主義の**資本主義経済に、国家の関与する必要性**が考えられるようになりました。これを **修正資本主義** ㉓ **経済（ケインズ主義経済）**といいます。

・自由主義経済では
　失業者はなくならない*!!*
・国が経済活動に
　かかわるべきだ*!!*

それまでの資本主義社会の前提であった自由主義に制限を加えた。

こうして、国家が関与しない自由主義の資本主義は否定され、**国家とのかかわりを持った新たな資本主義のあり方**が現れるようになりました。しかし実は、自由主義の資本主義社会を否定して新たなシステムを提唱したのはケインズだけではありませんでした。

6-3　資本主義と社会主義
—二つの大きな経済システムが対立した—

ここでは、いったん資本主義の流れから離れて、 社会主義 ㉔ の流れを簡単に
おさえておきます。社会主義自体の考え方は昔からありますが、それを広く知ら
しめて大きな思想にしたのは マルクス ③ でした。

1 資本主義と社会主義

資本主義社会に修正主義が生まれる一方で、お金持ちがよりお金持ちになり、貧
しい労働者は貧しいままという資本主義自体に真っ向から反する経済システム
が登場します。19世紀より社会主義が唱えられ、第二次世界大戦後の世界は資
本主義体制の国と社会主義体制の国に分かれていきました。

[資本主義]

	Aくん	Bくん	Cくん
生産販売量	300トン	200トン	100トン
収入	30万ドル	20万ドル	10万ドル

頑張って稼いだ者が勝つシンプルなシステムだ
が、恵まれない状況のCくんは「自己責任」とし
て救われない。

頑張っていないわけではない。
土地と労働者が少ないだけ。

[社会主義]

	Aくん	Bくん	Cくん
生産販売量	300トン	200トン	100トン
収入	20万ルーブル	20万ルーブル	20万ルーブル

収入が均等に分配されることで、報われない労
働者がいなくなる。ある意味「理想的」。

一度中央に集めて、600トン分の
利益（60万ルーブル）を均等に分配。

・金持ちばかりが得をして
　労働者が報われない社会は
　ダメだ!!

・働く人みんなが等しく
　報われるシステムが大事だ!!

マルクス

国家が関与しない資本主義に対して、国家が経済活動を管理する社会主義が求められた。

2 社会主義の崩壊

共産主義 25 の経済システムは、理想的です。ですが、**人間社会という現実は、理想通りにはいかないものでした。**

そんな頑張らなくてもいいよね…

	Aくん	Bくん	Cくん
生産販売量	300トン	200トン	100トン
翌年の生産販売量	280トン	170トン	90トン
翌々年の生産販売量	250トン	140トン	80トン

結果的には全体の生産量が
どんどん減っていく!!

社会主義は「合理的」であり、**近代合理主義** 26 の価値観から見れば理想だが、人の心は合理性ではなく利害を追うものであり、現実世界には合わなかった。

やってられっか〜!!

	Aくん	Bくん	Cくん
生産販売量	300トン	200トン	100トン
収入	10万ルーブル	10万ルーブル	10万ルーブル

中央政府もまた"理想"通りには動かず、中央に集まった利益を着服する。➡不満が爆発して **クーデター** 27 に（ソビエト連邦崩壊へ）。

一度中央に集めて、一部を役人が着服。
残り（30万ルーブル）を均等に分配。

　このように、ある意味「理想的」すぎた社会主義は、社会に根付くことなく終わりを迎えました。

新たな資本主義のあり方
—自由主義経済と国家のかかわり—

さて、資本主義の話に戻り、今度は現代の資本主義の流れを追いかけていきます。これを読むと、歴史というものはくり返されてしまうものだと分かると思います。近代と非常に似た状況に陥ります。

1 自由主義ふたたび

20世紀後半になると、国家が経済活動に積極的に関与するケインズ主義に反発して、ふたたび**国家の介入を極力排除した、自由で柔軟な経済活動**が尊重されるようになりました。これを **新自由主義** 28 といいます。

・ケインズはもう古い *!!*
・国家の介入を極力排除して もっと自由な経済活動を *!!*

フリードマン 4

アメリカを中心に、世界はふたたび制約のない自由主義となる。
それも、制約が極端にない方向に進む。
➡ 新自由主義

❷ 新たな資本主義のあり方

また、同じく20世紀後半になると、先進国ではモノの豊かさが社会全体に行き届き、もはやただのモノでは売れなくなります。そこで商品に、**新たな「 付加価値 ㉙ 」が必要**になります。

冷蔵庫が各家庭に普及する前は、人々の需要は「冷蔵庫」だったので、同じ種類の冷蔵庫を大量につくりさえすればよかった。
➡ 少種大量生産

冷蔵庫が各家庭に普及した後では、大量に生産するだけでは売り上げを伸ばすことができない。消費者の購買意欲をそそる新たな付加価値が必要になる。

これは「 **小さな物語 ㉚** 」の **ポストモダン状況 ㉛** とも重なります。**様々なライフスタイルに合わせて、様々な付加価値のある製品を多種類用意する必要が**出てきたのです。多種少量生産の時代に突入です。

80年代以降、「大きな物語」は終わり、人それぞれの「小さな物語」が主流になる。
それに応じて人々のライフスタイルが多様化され、様々なニーズに合わせた製品が必要になる。
➡ 多種少量生産

3 リーマンショック

21世紀になり、国家のブレーキのない自由経済は暴走します。アメリカの住宅ローン崩壊に端を発した **サブプライム危機** 32 が起こると、これによってアメリカの金融機関が危機的状況に陥ります。しかし当初国家は、「国家の制約のない自由主義」を理由に、何も介入しようとしませんでした。それにより、世界大手のアメリカ投資銀行が倒産してしまったのです。これが **リーマンショック** 33 です。

アメリカでサブプライムローンという住宅ローンが金融商品化された。これが「上昇し続けてもうかる」と予測されたため、世界中が飛びついた。

予測は外れて土地の価格が下がり、大暴落。この損失により、アメリカの大手投資銀行リーマンブラザーズが倒産危機に陥った。

金融危機の当初、アメリカは救済しようとしなかった。そのため、アメリカ自体も信用を失い、リーマンブラザーズの倒産と同時に世界同時株安となった。

④ ケインズふたたび

これを教訓に、**現代のグローバルで巨大な経済状況では、自由主義経済の中にも、国家がある程度積極的に関与する必要がある**ことを痛感しました。ケインズの考えがふたたび注目されたのです。

[新自由主義]
国家は経済活動に極力かかわらないようにした。

グローバル化 34 して巨大化した現代では特に、市場だけでは、もはやうまくいかない。

[両者の相互依存 35]
国家と市場がバランスよくかかわる方向が新たに模索（もさく）される。

そして現在、世界経済がますますグローバル化していく中で、国家がどれくらい市場に関与するか、その**両者の相互依存関係**が、なお議論されています。

Chapter6のお話は以上です。現代に至るまでの、特に資本主義の流れを追いかけていきました。興味を持っていただけましたか？

KEYWORD & KEYPERSON
重要用語と重要人物を掘り下げる

国家が関与することなく、お金持ちがよりお金持ちになる自由放任主義経済への反動から、20世紀には経済活動にある程度国家が介入する「修正資本主義」、経済活動を国家が管理する「社会主義」が生まれました。しかし、さらにその反動から、経済活動を国家がほとんど関与しない「新自由主義」が20世紀末に興りましたが、リーマンショック後には再び国家関与の必要性が見直されました。

※これまでのChapterですでに登場したワードは、簡単な意味のみ再掲しています。

6-1
資本主義の始まり
資本主義のシステムを把握しよう

KEYWORD

---

❶ 資本主義
capitalism
資本家が労働者を雇って働かせ、利益を得るシステム。

❷ 資本家
capitalist
お金（資本）を提供して労働者を雇い、利益を得る者。

❸ 労働者
labor
資本家に労働を提供することで賃金を得る者。

❹ 資本
capital
商売を行うもととなるお金。
➡この資本を自己増殖させ続けるシステムが資本主義ともいえる。

❺ 利益
profit
事業などによるもうけ。利潤。もしくは役に立つこと、得すること。

❻ 産業革命 （Chapter1）
18世紀後半から19世紀前半にかけて起こった、生産技術の発達による産業や社会の大きな変革。19世紀からの近代化のきっかけとなる。

❼ 商業資本主義
commercial capitalism
商人が遠隔地の価格の差異を用いて利益を得るシステム。
➡大航海時代（◀Chapter1）から得られた産物だが、当時はまだ国家が大きな影響力を持ち、自由な経済活動からは遠かった。

❽ 問屋制家内工業
資本家が原材料や道具などを職人に前貸しし、家庭内で生産させるシステム。できあがった商品は、資本家が買い上げて売りさばく。
➡工場に集まって流れ作業をするわけではないが、「職人」が「労働者」に移行しつつある状況といえる。

❾ 工場制手工業（マニュファクチュア）
manufacture
資本家が労働者を大量に雇って工場で大量生産するシステム。
➡大工場による大量生産の始まり。当時は、より多くの製品を生産できた者が、よりもうけることができていたので、合理性（◀Chapter1）の高い大量生産の方法が追求された。それが、後の機械制大工業につながる。

6-2
産業資本主義
産業資本主義は、お金持ちが
よりお金持ちになるシステムだった

KEYWARD

⑩ 産業資本主義

industrial capitalism

大工場と大量の労働者による少種大量生産システム。

➡これにより大工場を所有した資本家が大きな富と権力を手に入れることになり、後の独占資本主義に移行していく。

⑪ 機械制大工業

great industry

機械による大規模な大量生産を行うシステム。

➡機械の導入によって製品の生産量が爆発的に飛躍した。

⑫ 自由主義

liberalism

国家の制約をなるべく排除した社会システム。

⑬ 自由放任主義（レッセ=フェール）

laissez-faire〈仏〉

経済活動において、個人が自由競争によって利益を追求し、国家はできるだけ介入しないほうが、社会全体の利益につながるとする立場。

➡18世紀イギリスの経済学者アダム=スミスが主張した言葉。古典的自由主義経済のあり方を象徴した言葉といえる。

⑭ 見えざる手

invisible hand

経済の自由競争によって、需要と供給のバランスや価格などが自動的に最適になるよう、神の「見えざる手」で調整されるという考え方。

➡アダム=スミスの自由放任主義を正当化する言葉。実際には、巨大化した経済市場の前では見えざる手は機能しなかった。

⑮ 需要・供給

demand / supply

需要とは、消費者が商品を買い求めようとする欲求のこと。供給とは、生産者が商品を市場に提供すること。

➡多くの消費者が求めているのに（需要が高い）生産量が少なければ（供給が少ない）、モノの値段は上がり、消費者があまり求めていないのに（需要が低い）生産量が多ければ（供給が多い）、モノの値段は下がる。

※〈仏〉：フランス語を表す。

⑯ 失業率
unemployment rate

働く意思と能力がありながらも仕事に就けない人の比率。

➡労働者を減らしたほうが人件費がかからず収益は上がるはずだが、そうして生まれた失業者はお金がないために買い物をしない。よって、労働者を減らして失業者を増やすと、結果的に収益は下がる。したがって、社会全体で失業者をいかに減らすかが経済発展のために必要なこととなる。

⑰ 市場
market

商品を取り引きする場所。

➡現在では「商品をおおやけに取り引きする場所」と捉えることが多い。たとえば「株式市場に上場する」というと、「会社の株式をおおやけの場所で取り引きできるようにする」ということ。

⑱ 世界恐慌
world crisis

恐慌とは、好況から一転して急激に景気が後退し、深刻な不況に陥る現象。世界恐慌は世界規模の経済恐慌。

➡特に1929年に始まった、アメリカから世界に拡大した大恐慌を指すことが多い。その原因には様々な説がある。生産過剰や株価暴落も原因の一説でしかない。

⑲ 株式
stock

会社が、商売するための資金を調達するために発行するもの。

➡会社ごとの株式の値段は、その会社の価値や今後の値段上昇の予測、経済情勢などによって常に変動する。

⑳ 投資
investment

資本家が企業などにお金を「投じる」こと。

➡貸すわけではないので、投じたお金が返ってくる保証はない。企業を信用しての株式の売買は投資に当てはまる。これに対し、融資(loan)は、資本家が企業などにお金を「貸す」こと。貸したお金は基本的には返済される。銀行のローンは融資に当てはまる。

㉑ 投機
speculation

投資を、自らの利益を得る目的で行うこと。

➡投資と似た意味。ただし、投資が投資先の企業などのためにもなる行為なのに対し、投機はあくまでも自らの利益を目的としており、ギャンブルの要素が強い。利ざや(価格差による利益)を稼ぐための株式の売買は、投機に当てはまる。

㉒ 公共事業
public works

国や地方公共団体が公共の利益のために行う事業。

㉓ 修正資本主義

modified capitalism

資本主義において発生する問題を、政府が積極的に介入することにより解決しようとするシステム。失業率の減少などを目指して、公共事業を増やす介入などが行われる。
➡経済や社会に対し、政府が積極的に介入する立場（大きな政府）を尊重する。20世紀のイギリスの経済学者ケインズが影響を与えた。

KEYPERSON

---

① アダム=スミス

Adam Smith（1723〜1790）

自由放任主義経済を説いたイギリスの経済学者。

② ケインズ

John Maynard Keynes（1883〜1946）

自由放任主義経済に代わる修正資本主義経済を導いたイギリスの経済学者。

6-3
資本主義と社会主義
二つの大きな経済システムが対立した

KEYWORD

㉔ 社会主義
socialism
生産手段や財産を共同で管理し、平等に分配するシステム。
➡19世紀ドイツの経済学者マルクスが主唱したもの。少数のお金持ちだけが得をする資本主義体制を批判した。

㉕ 共産主義
communism
社会主義がさらに進化し、あらゆる面で平等が実現されるシステム。
➡マルクスは、資本主義体制が労働者による革命によって崩壊し、その後は理想的な共産主義体制になると予言した。

㉖ 近代合理主義　（■Chapter1〜3·5）
「科学性」「合理性」を「正しさ」の価値基準とする考え方。

㉗ クーデター
coup d'état〈仏〉
支配階級の一部が権力強化のために実力行使を行うこと。

KEYPERSON

③ マルクス
Karl Heinrich Marx（1818〜1883）
科学的社会主義を主唱したドイツの経済学者・哲学者。

※〈仏〉:フランス語を表す。

6-4
新たな資本主義のあり方
自由主義経済と国家のかかわり

KEYWORD

㉘ 新自由主義
neoliberalism
国家の介入を極力排除した経済活動を尊重する立場。
➡経済や社会に対する政府の介入を最小限にする立場（小さな政府）を尊重する。20世紀アメリカの経済学者フリードマンが主要人物。

㉙ 付加価値
added value
商品に付け加えられた、他にはない独自の価値。または、生産の過程で新たに加えられた価値。経済の分野では、後者の意味で用いられることが多い。

㉚ 小さな物語　（◻Chapter1）
人の生き方や社会のあり方（物語）がそれぞれになっていること。

㉛ ポストモダン状況　（◻Chapter1・2）
「近代的な思想を脱する」という意味で、「正しさ」の基準が多様化された状況。

㉜ サブプライム危機
subprime crisis
アメリカの住宅ローン（サブプライムローン）崩壊による金融危機。

㉝ リーマンショック
the collapse of Lehman Brothers
アメリカの大手投資銀行リーマンブラザーズの破綻をきっかけとした世界同時不況。
➡リーマンブラザーズはサブプライムローン関連の商品を大量に抱え込んでいたために、サブプライム危機により損失が膨らんだ。それに対しアメリカ政府は救済策を講じなかったため、リーマンブラザーズは破綻し、それをきっかけに世界同時株安が発生した。

㉞ グローバル化　（◻Chapter1・2・5）
人間の活動が、国境などの制約をこえて世界規模化すること。

㉟ 相互依存
interdependence
お互いを頼り合い必要とすることで、お互いを発展させること。
➡国家や市場の相互依存だけではなく、国家と国家、中央と地方、自然と人間など、様々な局面で注目されている。

KEYPERSON

---

④ **フリードマン**

Milton Friedman (1912～2006)
アメリカの経済学者。ケインズ経済を批判
して自由な市場に委ねるマネタリズムを主
導した。

7

Chapter.

The Most Intelligible Guide
of General Knowledge in the World

社会
Society

「自由」と「制約」のバランスはどう作るのか

この章では、社会における「権力」のあり方の変化と、「自由」のあり方の変化を中心に
お話していきます。そして、現代における「自由」と「制約」のあり方について、さまざ
まな視点で学んでいきます。

ENRICH YOUR EDUCATION

教養を豊かにする

🔍 登場する主なキーワード

☑権力	☑〈帝国〉	☑自由	☑制約
☑権利	☑責任	☑義務	☑市民革命
☑自由主義	☑国民国家主義	☑民主主義	☑全体主義
☑新自由主義	☑リバタリアニズム	☑共同体主義	☑デモ
☑テロ	☑マルチチュード	☑環境倫理	

7-1 権力のありか

—「権力」は「誰か」ではなく、社会のシステムが握っている—

まずは「 権力 ① 」のあり方について、近代以前とそれ以降の違いを把握しましょう。それを理解したうえで、次の「自由」のあり方につなげていきます。

① かつての権力

近代以前の社会では、王や領主などの**特定の権力者**が、人々を「死」への恐怖で**「脅す」**ことにより従わせていました。

権力者

権力は「誰か」が「死」への恐怖をもって脅すことで得ることができた。

② 近代以降の権力

しかし近代以降になると、権力は人々を精神的にも身体的にも「生かす」ことでより服従させる管理の仕方をとるようになりました。これをフランスの哲学者 **フーコー** ① は **生権力**（せいけんりょく） ② といいました。

老後も安心して生きていける社会をつくりま〜す!!

お願いしま〜す!

福祉政策や治安維持などの「生かす」システムを人々が受け入れることで、はからずも権力の支配と管理を受け入れることになる。

さらに20世紀末になりグローバル化が進むと、権力は特定の「誰か」が握るのではなく、**社会システムそれ自体が持つ**ようになります。このような新たな権力のあり方を、哲学者の **ネグリ** ② と **ハート** ③ は、皇帝が支配する帝国とは違う意味で **〈帝国〉** ③ と表現しました。

[帝国]　　　　　　　[〈帝国〉]

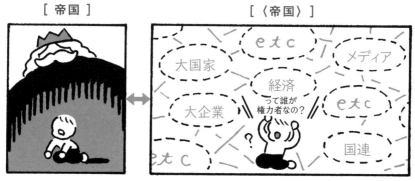

大国家　etc　メディア

経済　って誰が権力者なの？

大企業　etc

etc　国連

皇帝が支配する国が帝国。権力は主に皇帝が持つ。

グローバル化された巨大社会システムが支配する体制またはその権力が〈帝国〉。権力は「誰か」ではなくシステムそれ自体が持つ。

このように、人々に自由を約束しているように見える現代社会ですが、**現代の社会システムはより巧妙に人々を管理する社会**といえるのです。

7-2 自由のありか
―「自由」とは制約から解放されること―

次にお話しするのは **自由** ④ についてです。自由を保障されながら権力に縛られる現代社会ですが、そもそも自由とは何なのか。自由の意味が多様化されている現代だからこそ、改めて自由についてきちんと把握する必要があるでしょう。

❶ 日本語の「自由」

英語の liberty と freedom は、もともと「 **制約** ⑤ 」や「 **束縛** ⑥ 」からの「解放」が基本的な意味となります。

「自由」はもともと、教会や **因習** ⑦ など、様々な制約から解き放たれることだった。
何をやってもいいわけではない。

制約から解放された、もしくは制約が存在しない人々は、国家などからの制約を受けない **権利** **8** を得る代わりに、**自らの判断で自らを制約する** **責任** **9** と **義務** **10** を持ちます。

自らの意のままに動くべきか、周りに気を遣うべきかは、自己の判断に委ねられる。

> 欲望の充足を
> 選択すると…

自らの欲望を優先した行動を選択したことで、自己や社会に何らかの損失や迷惑があった場合、その責任は自己にふりかかる。
➡しょせん自分の意志で制約をつくり、受け入れるしかない。

しかし**日本では、「自由」は「何をしても許される」という意味で解釈**されてしまい、「自分勝手」との差が見えにくくなってしまっています。

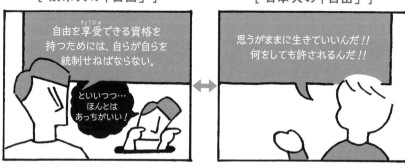

「自由」を手に入れた国と「自由」を輸入した国とでは、やはり捉え方が異なってしまう。
しかし、彼ら欧米人もまた、やがて「自由」を「自分勝手」な方向に解釈していく。

② 自由主義の流れ

近代以前の西欧では、「権力」とは王や領主などの支配者からの制約と束縛でした。それに反発して17世紀から各国で **市民革命** 11 が起き、その**制約や束縛から「解放」**されたのです。

[近代以前の西欧]

王国・教会などの「権力」に服従する形で社会があった。

[17〜19世紀の西欧]

国家は市民の活動に介入せず、市民は自由に活動できる。
➡ **自由主義** 12

そこから、**市民は国家の制約を受けることなく、自由に政治や経済などの市民活動に参加することができる**ようになりました。この、国家の制約から解放された政治的・経済的あり方を、**自由主義**といいます。

こうして人々は国家の権力から解放された社会を手に入れたはずでした。しかし、そうしてできた自由な社会は人々に幸せをもたらしたのでしょうか。

社会 | Society

 7-3 制約のありか
—過剰な自由は過度な制約を求めはじめる—

ここからは、自由が抱えた矛盾から生まれた問題を追っていきます。自由に満たされた世界は、逆に過度な制約と争いを生んだのです。

① 自由主義と民主主義が国民国家主義と全体主義を生む

自由主義の社会において、人々は様々な制約から解放されます。しかし、**人は制約があるからこそ** 欲望 **⑬** **や願いが生まれるのであって、制約がないとどう生きればいいか分からなくなってしまいます。**

[制約がある場合]

○○が欲しい!!
△△がしたい!!

どこにも
行けない

スケジュールが
いっぱい

やること
だらけ

人は「できない」状況であるからこそ、「したい」という欲望が生まれる。

[制約から解放され続けた状態]

何が欲しいのか、
何をしたらいいのか、分からないよ〜

何でも
できる

ヒマな時間が
いっぱい

やることが
ない

ダラ〜〜

人は「できない」状況から解放され続けると、
「したい」という欲望自体がなくなるわけではないが、何を欲すればいいかが分からなくなる。

そこで、「祖国のために生きよう」という新たな「 物語 ⑭ 」が用意されると、生き方に迷子になった人々は皆、その生き方に飛びついたのです。これが19世紀から20世紀にかけて 国民国家主義 ⑮ が浸透した背景のひとつとして挙げられます。

我が祖国の
言語と文化を守り、
戦うべきだ〜!!

うんうん

「何をすべきか」に迷子になった大衆は、
正しそうに見える「なすべきこと」を用意してくれる国家を支持する。
➡国民国家主義へ

また、国民の代表者を選挙で自由に選べる 民主主義 ⑯ 社会においても、**困窮した国民が国の行く先に不安を持ったときに、圧倒的な力で民衆を統率し、導いてくれる指導者を熱望します。これが20世紀に** 全体主義 ⑰ が浸透した背景のひとつとして挙げられます。

国民皆ひとつに
なって困難に
立ち向かうのだ〜!!

ついていきます!!

同じく迷子になった大衆は、正しいと信じ込ませてくれる強い指導者を支持する。
➡全体主義へ

こうして、第二次世界大戦以前の世界は、自由主義であるがゆえに、逆に国家の制約や束縛を過度に受けた世界になったのです。

7-4 バランスのありか
―社会は「自由」と「制約」のバランスを求めはじめた―

最後に、現代における社会のあり方を見ていきましょう。鍵^{かぎ}になる言葉は、バランスです。

1 新自由主義と共同体主義

戦後、世界が安定してくると、ふたたび国家の制約を減らし、より自由な経済活動を尊重しようとする動きが出てきました。**新自由主義** **18** と **リバタリアニズム** **19** です。

公共事業失敗
植民地消滅
戦費がかさむ
失業者増加

戦後、欧米(特にアメリカとイギリス)は、国家が関与する経済政策に限界を感じていた。

そこで、国家の関与は逆に自由な活動の妨げになるとして、自由の幅を新たに拡大させた。
➡ 新自由主義、リバタリアニズム

一方で、精神性を排除する近代合理主義と弱肉強食の自由主義に疲労してきた人々が、**人と人とのかかわり合いを尊重した生き方**を求めはじめました。**共同体主義** [20] や**共同社会**です。

制約なく、誰もが自己の利益を自由に追求する社会は、人と人との「つながり」が失われる。
➡ **ゲゼルシャフト** [21] （利益社会）

個人の損得よりも共同体の制約を積極的に受け入れることで、
共同体内での「つながり」と「生きる意義」を手に入れることができる。
➡ **ゲマインシャフト** [22] （共同社会）

そして **リーマンショック** [23] 以降、特に、過度な自由にも過度な制約にもならない、**両者のバランスがとれた社会体制のあり方が、注目されています。**

社会 | Society

❷ ネットにおける共同体主義

1990年代から **IT革命** ㉔ が起こり、2000年代から携帯端末が普及して **インターネット** ㉕ 社会になりました。**ネットの世界は極端に制約の少ない世界**です。

ネットの世界では、匿名性ゆえに個人を縛る制約が少なく、
「自分勝手」な言動がまかり通る。

ネットの世界における攻撃やいじめにより、
会社倒産や自殺、精神疾患など、現実世界でのトラブルが起こる。

その反動からか、ネットの世界では、 **SNS** ㉖ やネットゲームの中で仲間をつくり、コミュニティを形成しようとするようになりました。国境、人種、性別、年齢など、あらゆる垣根を越えた**新たな共同体が自由に生まれていった**のです。

人種も年齢も性別もバラバラなそれぞれの共同体

| パーティ組もう!! | オフ会開こう!! | 議論し合おう!! |

ネット世界

ネットの世界において、多くの人は勝手にふるまうことなくネット内で仲間をつくる。
そしてその「つながり」を維持するための制約を進んで受け入れる。

その共同体の力は強力です。 **デモ** ㉗ 活動の呼びかけにより国家を転覆させることも、また、新たな **テロ** ㉘ 組織をつくることも可能です。このような力は **マルチチュード** ㉙ とも呼ばれます。

ネットの「つながり」をもとにして、団結や協力、参加を呼びかける。

その力は現実の既存の権力をおびやかすほどの多人数を集める。

事実、政府を転覆させる力を持っている。 **アラブの春** ㉚ は、まさにネットの世界での呼びかけによって運動が広まった。
➡マルチチュード

③ 環境倫理という新しい物語

人々は束縛されると解放を求めます。しかし過度な自由を与えられると制約を求めます。では、**人々が共通して自発的に守るべき制約**として正しいものは何か。そこで注目されているのが、**マイケル＝サンデル** ④ の唱える **共通善** ㉛ と **環境倫理** ㉜ です。

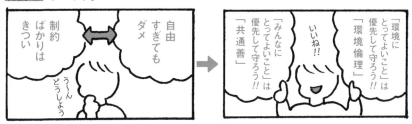

過度な制約でも過度な自由でもない、適度なバランスの制約が欲しい。

「共通善」や「環境倫理」は自由主義社会における適度なバランスの制約となりうる。

この環境倫理は、確かにポストモダン状況を改善する新たな「**大きな物語** ㉝ 」になり得ます。しかし、その環境倫理も、**突き詰めれば大国の エゴイズム ㉞ にすぎない**という見方もあるのです。

環境倫理は地球レベルで共通して追求すべき新たな「大きな物語」にふさわしく見える。

環境破壊の原因は先進国なのに、先進国がつくった環境倫理のルールを世界中に押しつけているともいえなくはない。

Chapter7は以上です。今後、新聞やニュースでこれらの内容に触れたとき、より興味を持って理解を深めてもらえれば幸いです。

KEYWORD & KEYPERSON
重要用語と重要人物を掘り下げる

かつて権力は「誰か」が「死」をもって人々を支配するものだったのですが、近代以降は「システム」が「生」をもって人々を管理するものになりました。また、過度な自由主義も過度な国家管理も人々を幸せにはしなかったので、「共同体の維持」や「環境倫理」などの制約を受け入れた「バランスのとれた自由主義」が模索されるようになりました。

※これまでのChapterですでに登場したワードは、簡単な意味のみ再掲しています。

7-1
権力のありか
「権力」は「誰か」ではなく、
社会のシステムが握っている

7-2
自由のありか
「自由」とは制約から解放されること

KEYWORD

KEYWORD

❶ 権力
power
他人を支配して従わせる力。
➡もともとは支配者が「死」をもって脅す
ことで権力を行使していた。

❷ 生権力
biopouvoir〈仏〉
人々を生かすことで従わせ、管理する力。
➡20世紀フランスの哲学者フーコーが提
唱した概念。近代に潜む隠れた権力の構造
を暴き出した。

❸ 〈帝国〉
empire
グローバリズムや管理社会の進展によって
できた、新たな実体のない権力。
➡20世紀イタリアの哲学者ネグリと、その
弟子ハートによって提唱された概念。特定
の支配者が武力で支配する一般的な意味
の帝国と区別した、新たな〈帝国〉が民主主
義を危機に陥れるとした。

❹ 自由
liberty / freedom
制約から解き放たれる、もしくは制約が存
在しないこと。
➡自由の意味は多様化されているが、少な
くとも「何をしてもかまわない」という意味
ではないことは理解する必要がある。

❺ 制約
restriction
ある条件や枠を用意して自由を抑えつける
こと。
➡「制約」、「拘束」、「束縛」とで程度は異な
るが、どれも「自由」の反対語と捉えられる。

❻ 束縛
restriction
ある制限を用意して行動の自由を奪うこと。
➡「制約」よりも縛りつけが強いものとして
捉えられる。

❼ 因習

convention

古くから続く生活や行事などの習わし。

➡「風習」よりも自由を奪う否定的な意味合いで用いられる。

❽ 権利

right

ある何かを行ったり主張したりできる資格。

➡権力は他人に及ぼす力であり、権利は自己に与えられた力ともいえる。

❾ 責任

responsibility

果たすべき義務や償い。

➡他人からの責めを受け入れることがおおまかな原義だが、かなり広い意味で用いられる。

❿ 義務

duty

人がなすべき務め。

➡「権利」の反対語。人は何かを行う資格（権利）を得る代わりに、社会のためになすべき務め（義務）を果たす必要がある。

⓫ 市民革命 （◻Chapter1）

市民階級が国家権力をくつがえし、政治的権力をはじめとした国家にかかわる権利および自由や平等などを手に入れる革命。

⓬ 自由主義 （◻Chapter6）

国家の制約をなるべく排除した社会システム。

7-3
制約のありか

過剰な自由は過度な制約を求めはじめる

KEYWORD

⓭ 欲望

desire

不足を感じ、これを満たそうと強く望むこと。

➡「欲求」は生理的なレベル、「欲望」は社会的なレベルとして使い分けられることが多い。

⓮ 物語（ストーリー）　（◻Chapter1・3・5）

人の生き方や社会のあり方。

⓯ 国民国家主義

（国民国家◻Chapter1・2・5）

国民をひとつのまとまりのある構成員として統合することで成立する国家で、国民の忠誠や帰属意識を高める国家政策。

⓰ 民主主義

democracy

民衆が民衆を支配する社会体制。

➡「法の支配」、「議会民主制」、「自由と平等の保障」などが現代の民主主義と位置づけられることが多い。

⑰ 全体主義

totalitarianism

個人よりも全体の利益を優先させる立場。
➡第一次世界大戦後のイタリアで生まれた
ファシズム（一党独裁による強制政治）の中
心思想。

**7-4
バランスのありか**
社会は「自由」と「制約」のバランスを
求めはじめた

KEYWORD

---

⑱ 新自由主義 （▶Chapter6）

国家の介入を極力排除した経済活動を尊
重する立場。
➡新自由主義（ネオリベラリズム）とは異な
り、公共の福祉を重視した「ニューリベラ
リズム」も存在するので注意したい。ニュー
リベラリズムは「社会自由主義」「ソーシャ
ルリベラリズム」とも称される。

⑲ リバタリアニズム

libertarianism

極度に個人の自由を尊重する自由主義。
➡20世紀後半に主にアメリカで唱えられ
た立場。ネオリベラリズムよりも広い規模
で国家の介入を排除する。

⑳ 共同体主義

communitarianism

個人よりも共同体の利益や維持を優先す
る立場。
➡リバタリアニズムと同じく、20世紀後半
に主にアメリカで唱えられた立場。いきす
ぎた自由主義への反動から注目を浴びた。

㉑ ゲゼルシャフト

gesellschaft〈独〉

国家や会社などの利益社会。

➡19世紀ドイツの社会学者テンニースが設定した社会のあり方。ある目的や利益のためにできた利益社会(ゲゼルシャフト)に対抗する社会のあり方として、共同社会(ゲマインシャフト)を提唱した。

㉒ ゲマインシャフト

gemeinschaft〈独〉

村落や家族などの共同社会。

➡ゲゼルシャフトと同じく、テンニースが設定した社会のあり方。最も本来的で自然的に形成される。

㉓ リーマンショック　（🔲Chapter6）

アメリカの大手投資銀行リーマンブラザーズの破綻をきっかけとした世界同時不況。

㉔ IT革命

information technology revolution

コンピュータやインターネットの普及にともなう急激な社会の変化。

➡主に1990年代から始まり、社会システムだけでなく、人と人とのつながりにまで大きな変化をもたらした。

㉕ インターネット

internet

通信回線によって世界各地のコンピュータがつながっていること。

➡国、地域、人種、年齢、立場など、あらゆる垣根を越えた新たなつながりをもたらした。

㉖ SNS

social networking service

インターネットを通じてコミュニティをつくり上げる会員制のサービス。

➡名前や閲覧履歴が明示されるなど、通常のインターネットの匿名性を極力排除している。

㉗ デモ

demonstration

自らの要求や主張を世論に訴えかける集団行動。

➡インターネットによってデモへの呼びかけが非常に大規模なものになり、国家を転覆させるほどの力を有するようになった。マルチチュードの力のひとつ。

㉘ テロ

terrorism

政治的目的のために、暴力によって脅迫したり、自己PRしたりすること。

㉙ マルチチュード

multitude

グローバル時代における新たな民主主義の
モデル。

➡20世紀イタリアの哲学者ネグリと、その
弟子ハートの提唱した概念。多様性を持っ
た人々が国境を越えたネットワークによっ
て〈帝国〉などの巨大権力を打ち破るとした。
「アラブの春」がその具体例。

㉚ アラブの春

Arab Spring

21世紀にアラブ諸国で起きた、デモによる
独裁国家体制の崩壊。

㉛ 共通善
きょうつうぜん

common good

集団にとって善いとされるもの。

➡21世紀の哲学者マイケル=サンデルの主
唱した共同体主義の主要概念。自由主義
に対抗するものとして、改めて注目された。

㉜ 環境倫理

environmental ethics

環境や生態系に対して人間が守るべきモラ
ル。

➡自由主義に制約をかける新たな概念であ
り、しかも環境を保全するために生きると
いう、新たな「大きな物語」になりうる可能
性を持っている。

㉝ 大きな物語　（🔲Chapter1）

世界規模で共通した、人や社会の進むべき
ストーリー。

㉞ エゴイズム

egoism

自己利益中心の考え方。利己主義。

➡哲学上の「独我論（確実に存在するのは
自我のみであるとする考え方）」もエゴイズ
ムと呼ばれる。

KEYPERSON

---

① フーコー

Michel Foucault（1926～1984）

フランスの哲学者。権力の構造を解明する
「知の考古学」を唱えた。

② ネグリ

Antonio Negri（1933～）

イタリアの哲学者、政治思想家。弟子の
ハートとともに、〈帝国〉・マルチチュードを
唱える。

③ ハート

Michael Hardt（1960～）

アメリカの哲学者。ネグリの弟子。〈帝国〉・
マルチチュードを唱える。

④ マイケル=サンデル

Michael J.Sandel（1953～）

アメリカの哲学者。共同体主義を唱える。

8

Chapter.

The Most Intelligible Guide
of General Knowledge in the World

日本
Japan

日本を「アイデンティティ」から捉えるとどうなるか

この章では、江戸期からの日本の「アイデンティティ」の変遷を追っていきます。「アイデンティティ」として時代の流れを見ることで分かる、日本のドラマティックなストーリーを学んでいきます。

ENRICH YOUR EDUCATION

教養を豊かにする

🔍 登場する主なキーワード

☑江戸時代　　☑身分制　　　☑内的自己　　☑外的自己

☑近代化　　　☑標準語　　　☑和魂洋才　　☑武士道

☑本音　　　　☑建前　　　　☑軍国主義　　☑安保闘争

☑学生運動　　☑バブル経済　☑ゆとり教育　☑個人主義

☑世間　　　　☑絆

8-1 江戸時代考察
—江戸時代のシステムが見直される—

まずは **江戸時代** ❶ における社会システムと、それにともなったアイデンティティのあり方を追いかけていきましょう。ごく最近まで、「江戸時代は **身分制** ❷ が厳しい社会であった」と考えられていました。

❶ 江戸時代の身分固定システム

かつては、江戸時代には「 **士農工商** ❸ 」という身分序列の制度があり、その身分制度に従って人々が暮らしていたと考えられていました。それが常識だったのですが、現在の研究では、そのような身分の序列は実は存在しなかったと考えられています。支配階級の武士の身分は高かったとしても、その他の人々に身分差はほぼありませんでした。

以前の研究では…	現在の研究では…

身分に上下関係があり、身分が下の者は上の者に服従すると思われていた。

武士は支配階級ということで身分が上であるが、それ以外は町民・村民という形で、身分差などなかったとされている。

では、江戸時代における身分はどのように固定されていたのでしょうか。それは**職業というよりも、出身地による固定**でした。藩による区分、**町** 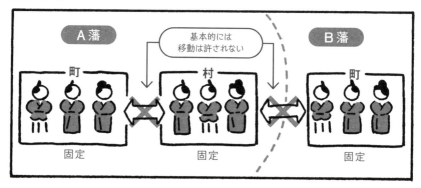④ による区分、**農村** ⑤ 部による区分で人を分けて固定し、人口の都市部集中を抑えようとしたのです。

身分を出身地で固定して「○○藩の△△町民の××さん」とすることで、
領民を管理把握することができる。

また、**都市部・農村部ともに様々な仕事が細やかに用意されていた**ため、地区ごとに仕事がなくなることはなく、**ワークシェアリング** ⑥ が成り立っていました。人々はそれぞれの出身地で仕事にありつけたので、他の地に移住する必要がなかったのです。

町内では様々な仕事があり、農村部では皆が協力する様々な役割があり、
仕事がなくて苦しむことは少なかったとされる。

② 江戸時代におけるアイデンティティ

日本では、江戸時代まで **アイデンティティ** **⑦** の育つ土壌はなかったといわれていましたが、現在では否定されています。では、国民国家意識のない江戸時代までの日本で、アイデンティティはどのように形成されたのかというと、それは、**出身地への帰属意識と、労働における職業意識から**培われたのです。

[アイデンティティのモデルの違い]

西欧近代のモデル

オレらしく
生きるぜ*!!*

この「オレらしさ」のモデルは
・国家が求める国民らしさ
・民族が求める○○人らしさ

➡ **国民国家** **⑧** の **イデオロギー** **⑨** がアイデンティティのモデル
（江戸時代の日本にそんなものはない!!）

江戸時代の日本のモデル

私らしく
生きるぜ*!!*

この「私らしさ」のモデルは
・各地域が求める地域人らしさ
・職業が求める職人らしさ

➡ 身分と職業によるアイデンティティ

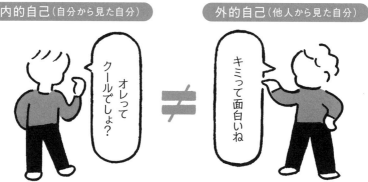

当時において、人は基本的には生まれ育った土地から離れて生きることはできませんでした。特に長男は家を継ぐ必要があるために、居住地を変えられません。また、人は相手を出身地で見ます。そのような状況でアイデンティティを求めるならば、その**出身地らしい自分を目指せ**ばよかったのです。

[**現代**]

内的自己（自分から見た自分）　　　　外的自己（他人から見た自分）

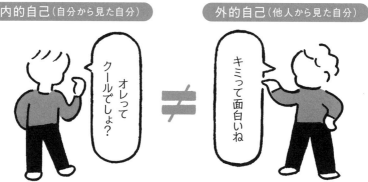

オレって
クール
でしょ？

≠

キミって面白いね

「自分から見た自分」と同じように、他人が見てくれるとは限らない。
だから、人は **内的自己** ⑩ と **外的自己** ⑪ の不一致に苦しむ。

[**江戸時代**]

内的自己　　　　　　　　　　外的自己

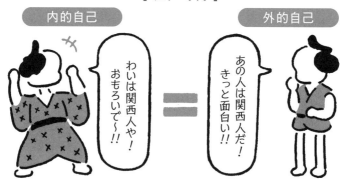

わいは関西人や！
おもろいで〜!!

＝

あの人は関西人だ！
きっと面白い!!

皆が関西人として自分を見るなら、
関西人らしい自分を目指せばいい。

現在でも日本人は、
相手を「出身地の人」として見る傾向が強い。

外的自己（出身地・身分）に合わせた内的自己（出身地らしさ・身分らしさ）を目指せば
両者が一致するので、苦しむことはない。

当時において、人は基本的には職業も変えられませんでした。特に長男は家業を継ぐ必要があるために、職業を変えられません。また、人は相手を職業で見ます。そのような状況でアイデンティティを求めるならば、その**職業らしい自分を目指せばよかった**のです。

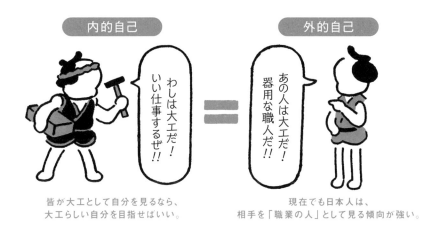

内的自己 　　　　　　　　　外的自己

わしは大工だ！いい仕事するぜ!! ＝ あの人は大工だ！器用な職人だ!!

皆が大工として自分を見るなら、
大工らしい自分を目指せばいい。

現在でも日本人は、
相手を「職業の人」として見る傾向が強い。

外的自己（職業）に合わせた内的自己（職業らしさ・職業らしい性格）を目指せば
両者が一致するので、苦しむことはない。

それでいて、人口や身分の移動がまったくなかったわけではなく、職業の固定も緩やかなものであり、職にこだわることのない、今でいうところの **フリーター** ⑫ も存在が許されていました。このように江戸時代は、様々な多様性が受け入れられた時代だったのです。

8-2 明治時代考察
—明治という時代が改めて問われる—

次に明治時代における社会システムと、それにともなったアイデンティティのあり方を追いかけていきましょう。**明治の 近代化 ⑬ が日本人に国民らしさを要求していきます。**

❶ 新たなアイデンティティの方向

欧米が日本に進入してきたことにより、日本は欧化の道をたどりました。**日本も国民国家主義の仲間入りを果たそうとしたのです。**

19世紀はフランスを筆頭にして、国民に国家への帰属意識と士気を高める国民国家主義政策が主流だった。

日本も西欧をモデルとして国民国家を目指そうとする。

国民国家をつくり上げ、日本人に国民意識が芽生えることによって、**日本に新たなアイデンティティの方向性**が生まれました。それが、「**日本人らしさ**」です。

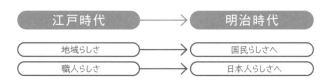

アイデンティティのモデル（模倣先）が欧米同様に国民国家のイデオロギーとなる。

2 本音と建前の分離

日本は欧米の社会システムとテクノロジーを急いで手に入れて、欧化した社会を築こうとしました。しかし、国民の内面はいまだ地域人のままです。そこで、**公的な場面と私的な場面とで、話や立場を使い分け**ました。 本音と建前 ⑱ **の使い分け**です。

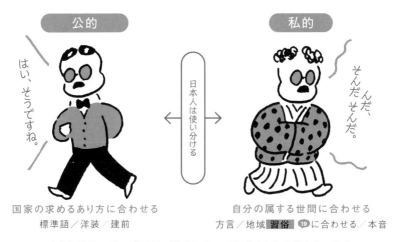

国家の求めるあり方に合わせる
標準語／洋装／建前

自分の属する世間に合わせる
方言／地域 習俗 ⑲ に合わせる／本音

このような公私の使い分けは、現代においても求められる能力といえる。

日本 | Japan

③ 自我の苦悩

明治日本は欧米から社会システムやテクノロジーだけでなく、精神 ⑳ 的な思想も手に入れました。その中には、のちに「近代的自我 ㉑」といわれる思想も含まれます。

[近代的自我]

どのような状況でも変わらない「本当の自分」こそ大事にしろ!!

我が精神が、我が身体と我が環境を意のままにするのだ!!

この近代的自我の思想は、
人間が自然や環境や人々を意のままにしようとする考えとつながる。

まるで逆

[江戸時代における自我認識]

三日会わなければ別人と思いな
コロコロ変わるのが人だよ

お天道さんの気まぐれは
どうしようもねぇ
意のままにならねぇさ

自然の脅威や時の権力 ㉒ に振り回されながらも、
したたかに生きてきた庶民の育んだ自我観といえる。

この**近代的自我は現実にはあり得ない理想論**です。しかし明治人たちは、この**理想論でしかない自我のあり方を、正しいと思い込んで追いかけてしまった**のです。それにより明治の知識人たちは自我のあり方に苦悩しました。

実際にそんなことを
実現できる西欧人はいない

精神のさらなる高みを
目指して、何事にも
動じない確固たる己を
築き上げるのデース

西欧の思想家

人間なんて
コロコロ変わるもん
じゃなかったの？

えっ!!

日本の知識人たち

欧米を新たなモデル（模倣先）にした日本の知識人たちは、
この自我のあり方を目指してしまう。

本音と建前で
食い違う

つい状況に振り回されて
自分を見失う

本当の自分が
見つからない

明治の知識人たちは、西欧人が言うような近代的自我を得られず苦悩した。

このように、江戸時代から明治時代にかけて、アイデンティティのあり方が大きく転換し、そして迷走していきました。アイデンティティのあり方は、戦後さらに転換していきます。

8-3 戦後日本考察
―日本の今が問われる―

最後に、戦後から現代にかけての国としてのアイデンティティのあり方を追いかけていきましょう。

① 戦後思想

第二次世界大戦後、**欧米から輸入した国民国家主義思想は、欧米から** 軍国主義 ㉓ **思想として否定され**、日本は進むべき方向を見失ってしまいました。

欧化政策の中で、日本は欧米を模倣して国民国家主義になった。

そのモデル（模倣先）である欧米から軍国主義扱いされ、敵国となった。
➡敗戦後、日本のあり方が完全否定され、日本は進むべき方向を見失う。

「日本らしさ」が**失われた日本**は国としてのアイデンティティを失い、さまよいます。

安保闘争（あんぽとうそう）24
（50-70年代）

学生運動 25
（60-70年代）

バブル経済 26
（80-90年代）

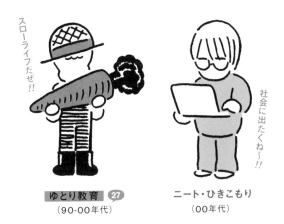

ゆとり教育 27
（90-00年代）

ニート・ひきこもり
（00年代）

時代や状況に応じて様々な思想や意見が飛び交いながら、
戦後の日本はさまよい進んでいった。

❷ 東日本大震災

欧米的 個人主義 ㉘ のあり方ゆえに、「世間 ㉙」とのつながりは旧日本的と否定されました。しかし、このつながりは東日本大震災から「絆 ㉚」と名を変えて見直されるようになりました。

[東日本大震災前（2000年代）]

戦後60年が経ち、「個人主義のなれの果て」といわれるように、
個人の利益を優先する風潮が大きかった。

[東日本大震災後（2011年〜）]

震災をきっかけに、人と人とのつながりや、
人と地域とのつながりの大切さが再認識された。

それは世界からの日本に対する評価にもつながりました。**日本の文化が世界か
らどんどんと注目されるようになった**のです。

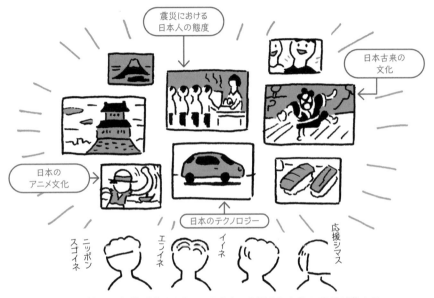

日本の震災の衝撃的映像とともに、日本という国それ自体に注目が集まり、
世界的に改めて日本人の態度と文化が評価の対象になる。
日本人が失ってきた誇りを取り戻す契機に。

この新たな日本文化が、日本が戦後から見失ってきた新たなアイデンティティに
なるのか、これからの日本が注目されます。

日本 | Japan

KEYWORD & KEYPERSON
重要用語と重要人物を掘り下げる

　江戸時代においては固定された職業や出身地によってアイデンティティを形成していましたが、明治時代の急激な近代化により、国民・近代人としてのあり方と今までのあり方とで葛藤することになりました。そして、戦後の激動の時代のなかで日本人はアイデンティティのあり方に苦しみ続けることになりました。震災後の現在では、改めて地域社会としての「絆」が見直されています。

　※これまでのChapterですでに登場したワードは、簡単な意味のみ再掲しています。

┌─────────────────────────┐
8-1
江戸時代考察
江戸時代のシステムが見直される
└─────────────────────────┘

KEYWORD

---

❶ 江戸時代　（▶Chapter1）
（1603～1867）
江戸に徳川家の幕府（将軍の本営）が開かれた時代。

❷ 身分制
class system
職業や階級によって人々を振り分ける社会制度。
➡基本的に、身分制というシステムには厳密な上下関係が存在し、生まれついての身分は変えられず、しかも身分が上の存在に対して絶対的服従が要求される。

❸ 士農工商
the four social classes in Japanese feudal society
江戸時代における身分制度。
➡江戸時代の社会における主要な身分である武士・農民・職人・商人を略したものだが、現在の研究では、基本的には農工商に上下関係はなかったとされている。

❹ 町
town
家や商店が多く、人口が集まっているところ。

❺ 農村
rural community
住民の大多数が農業に従事しているところ。

❻ ワークシェアリング
work sharing
一人当たりの仕事と労働時間を分かち合うことで、失業率を減らすこと。
➡現代においては失業率を減らすためのキーワードのひとつだが、江戸時代の町ではそれがうまく機能していた。

❼ アイデンティティ　（▶Chapter2・5）
「自分らしさ」をしっかり持ち、そうあり続けること。

❽ 国民国家　（▶Chapter1・2・5・7）
「～民族」「～言語」「～文化」のように国民をひとつのまとまりのある構成員として統合することで成立する国家。国民の忠誠や帰属意識を強める国家政策のもと生じた。

❾ イデオロギー　（▶Chapter1・2）
社会や集団が持つ理念。
➡意味が多様すぎて明確な定義は不可能だが、主に政治思想や社会思想の意味合いで使われることが多い。

⑩ 内的自己

こうありたいという自己、もしくは精神面における自己。

➡日本の場合は特に、自らを「出身地の人」、並びに「職業の人」として、そのようにあろうとすることが多い。これは江戸時代から受け継がれた文化的特性と捉えることもできる。

⑪ 外的自己

他者から見た自己、もしくは社会面における自己。

➡日本の場合は特に、相手を「出身地の人」、並びに「職業の人」として見ることが多い。

⑫ フリーター

job-hopper

定職に就くことなくアルバイトで生計を立てる人。

➡江戸時代において、長男は家業を継ぐために職業の変更や居住地の移動が許されなかった。しかし次男などそれ以外の人については、職業の変更や居住地の移動は比較的緩やかだった。

> **8-2**
> **明治時代考察**
> 明治という時代が改めて問われる

KEYWORD

---

⑬ 近代化

modernization

西欧近代の価値観である、合理主義や資本主義や国民国家主義、並びに科学文明を取り入れること。

➡非文明国の「文明化」や、明治時代日本の「欧化」も近代化と等しいものと捉えられる。

⑭ 民族　　（▶Chapter5）

共通の先祖や神話や言語や生活様式を持つ集団。

⑮ 標準語

standard language

一国の教育・放送・行政などで用いられる模範としての言語。

➡日本では明治時代に、言語統一政策として東京の山の手言葉をベースにつくられ、公的な場面では標準語を用いることが求められた。

⓰ 和魂洋才
わこんようさい

Japanese spirit with Western learning

日本固有の精神を大切にしながらも、西洋から優れた学問・知識などを摂取し、活用する考え方。

➡極端な欧化によって日本の培ってきた精神まで否定してしまうと、国民に国家への帰属意識や愛国心を植えつけることがむずかしくなる。そこで、欧化するのはあくまでも技術面のみにし、精神面は古来のままということにして、日本民族のアイデンティティと社会の欧化を両立させようとした。

⓱ 武士道

bushido

自己を犠牲にして主君に仕え、勇敢に戦う武士のあるべき姿。

➡そもそも江戸時代の武士は「主君に忠実で勇猛果敢」ではなかったのだが、そうであったことにして、富国強兵を目指す明治の日本人にそれを求めた。したがって、武士道の思想とは明治時代に強く求められた思想だったといえる。

⓲ 本音・建前

real intention / public stance

本心から言う言葉が本音で、表向きの言葉が建前。

➡国家で求められた「日本人」としての個人のあり方は、現実における「地域人」としての個人とは食い違っていた。そこで公的な場面では標準語を用いて日本人らしくふるまい、私的な場面では方言を用いて本心を言うようになった。

⓳ 習俗

customs and manners

ある地域や社会で昔から伝わっている生活様式や風習。

⓴ 精神　　🔲Chapter2・5

認識や思考する人間の心の領域。

㉑ 近代的自我　　🔲Chapter2

集団により操られても揺らぐことなく、個人として決断・行動する理想的な自己。

㉒ 権力　　🔲Chapter7

他人を支配して従わせる力。

日本 ｜ Japan

```
8-3
戦後日本考察
日本の今が問われる
```

KEYWORD

㉓ 軍国主義

militarism

軍事力の強化を国家の最優先事項とする
立場。

➡自国を軍国主義と公言する国はないので、
軍国主義という言葉は敵国を悪者にするた
めに用いる表現として使われることが多い。

㉔ 安保闘争

あん ぽ とうそう

campaign against the Japan-U.S. security
treaty

日米安全保障条約改定反対の闘争。

➡1959～60年に起きた運動だが、日本で
近隣諸国との関係が悪化するたびに、有事
の際の日本とアメリカのあり方について、こ
の問題が取り上げられる。

㉕ 学生運動

student movement

学生が主体となって行われる政治的・社会
的な活動。

➡1960年代から70年代にかけて、日本の
大学で流行した。戦後日本のあるべき姿を
学生が模索して戦い、そしてやぶれた運動
といえる。

㉖ バブル経済　（⤶Chapter1）

1990年ごろにおける日本の経済状況。
地価や株価が実際の価値よりも膨れ上が
ふく
る（泡・バブル）経済現象。

㉗ ゆとり教育

1990年代から2000年代にかけて実施さ
れた、無理のない自発的な学習を推奨する
教育。

➡1980年代までの暗記詰め込み教育への
反省から導入されたが、期待に反して自発
性や思考力は養われず、深刻な学力低下を
招いた。それにより2010年代から脱ゆと
り教育にシフトした。

㉘ 個人主義

individualism

集団の成員一人一人を独立した個人とし
て尊重する立場。

➡そもそも個人主義とは、国民一人一人を
国家の従属物として一様に扱うのではなく、
独立した個人として認めることをいう。そ
れが日本では特に、社会や集団の利益より
も個人の利益を優先する立場と捉えられが
ちになっている。

㉙ 世間　（⤶Chapter5）

人々の交友関係内の社会。

㉚ 絆
（きずな）

bond

利害関係を越えた人と人との強い結びつき。
➡2011年の東日本大震災において、電気
や流通などがマヒした状況に陥り、身近な
人々との結びつきの重要性を改めて思い
知った。これにより、江戸時代から続く、地
域の結びつきや人々の結びつきを重視する
日本のアイデンティティのあり方が新たに
注目を浴びている。他者へのおもてなしの
精神も、このあり方と関係性が深いといえ
る。

9

Chapter.

The Most Intelligible Guide
of General Knowledge in the World

芸術
Art

芸術を「時代の流れ」としてながめると何が見えるか

この章では、「日本近代文学」「西洋美術」「西洋音楽」それぞれの変遷を追っていきます。そして反動を繰り返す芸術の歴史のなかで、流行しては消える様々な芸術的立場を、混同しないように学んでいきます。

ENRICH YOUR EDUCATION

教養を豊かにする

🔍 登場する主なキーワード

☑写実主義	☑言文一致	☑擬古典主義	☑浪漫主義
☑自然主義	☑反自然主義	☑余裕派	☑耽美派
☑白樺派	☑新現実主義	☑古典主義	☑バロック
☑ロココ	☑ロマン主義	☑象徴主義	☑印象主義
☑キュビスム	☑ダダイズム	☑クラシック	☑ロマン派音楽

9-1 日本近代文学の流れ
—近代化していく時代が文学に影響を与えた—

まずは、日本の近代文学の思想的な流れを追っていきます。本書で数多くの文学者や文学作品に触れることはありませんが、近代文学の下地づくりとして流れを理解するには、このくらいがちょうどいいでしょう。

① 欧米思想と日本思想

明治時代より欧米の思想がどんどんと輸入され、日本の文学は欧米の影響を受けて大きく変化していきました。

[江戸時代]

戯作（げさく）
（娯楽、通俗小説）

十返舎一九（じっぺんしゃいっく）『東海道中膝栗毛』（とうかいどうちゅうひざくりげ）
上田秋成（うえだあきなり）『雨月物語』（げつものがたり）など

↓

[欧米文化の流入]

戯作文学 ❶
（旧来のものは人気がなくなる）

仮名垣魯文（かながきろぶん）『安愚楽鍋』（あぐらなべ）など

啓蒙思想（けいもう） ❷
（近代化の必要性を広める）

福沢諭吉（ゆきち）『学問のすゝめ』など

↓

[自由民権運動]

政治小説 ❸
（政治的宣伝＝プロパガンダ ❹）

矢野龍溪（やのりゅうけい）『経国美談』（けいこくびだん）

明治初期の文学は、明治期に 近代化 ❺ の理念を普及させることに一役買ったといえる。

近代文学は**坪内逍遙**（つぼうちしょうよう）と**二葉亭四迷**（ふたばていしめい）によって、スタートしたといわれます。

坪内逍遙	二葉亭四迷

二人の登場から明治近代小説が、**写実主義** 6 、**言文一致**（げんぶんいっち） 7 の形で始まった。

一方で、極端な欧化への反動から、社会的にも芸術的にも**かつての日本に回帰しようとする運動**が起きます。**復古主義**（ふっこ） 8 です。文学では**擬古典主義**（ぎこてん） 9 がそれに当てはまります。

[擬古典主義]

明治15年前後、急速な欧化への反動から、人々にかつての**伝統** 10 を大事にする意識が芽生えはじめた。

それに国民国家主義の政策が重なり、擬古典主義活動が起こる。
尾崎紅葉（おざきこうよう）『金色夜叉』（こんじきやしゃ）
幸田露伴（こうだろはん）『五重塔』（ごじゅうのとう）

② 自然主義から反自然主義へ

復古主義がありながらも欧化は着々と進み、輸入された 近代的自我 ⑪ の影響から、 ロマン主義 ⑫ 文学が登場します。

[ロマン主義]

近代化以前の地域日本

うう…

習俗　世間　家族　しがらみ

様々なしがらみが自らを縛りつける。

近代的自我の思想を得た知識人

何ものにも縛られずに自由に生きる！！

揺らぐことのない確固たる近代的自我を理想としたロマン主義が現れる。
森鷗外『舞姫』／樋口一葉『たけくらべ』／泉鏡花『高野聖』

そして、**ロマン主義の非現実的理想主義への反動**から、**現実をありのままに暴き出して語ろうとする** 自然主義 ⑬ **文学**が流行しました。

[ロマン主義]

カ シーン

確固たる己を持て!!

⇕

[自然主義]

クネ

クネ

無理無理、ありのままの人間はもっとグダグダさ

ありのままの現実をさらけ出す自然主義は、
理想を振りかざすロマン主義に反するものだった。
島崎藤村『破戒』／田山花袋『蒲団』(私小説)

その一方で、**自然主義の現実路線に反する、 反自然主義 14 の文学**が勃興したのです。

[反自然主義]

[余裕派 15]　　　　　　　　　　[耽美派 16]

夏目漱石『坊ちゃん』／森鷗外『青年』

永井荷風『ふらんす物語』／谷崎潤一郎『痴人の愛』

[白樺派 17]　　　　　　　　　　[新現実主義 18]

武者小路実篤『友情』／志賀直哉『暗夜行路』

芥川龍之介『羅生門』／山本有三『路傍の石』

自然主義の立ち位置は、ある意味残酷な現実への「あきらめ」といえる。
それにあらがう形で様々な文学が生まれた。

このように、日本の近代文学は近代西欧の芸術思想の影響を大きく受けたものでした。では、その影響を与えた近代西欧の芸術はどのようなものだったのでしょうか。次にその流れを追っていきます。

9-2 西欧美術史の流れ
―時代に合わせて求める美も変わる―

次は、西欧美術の流れを追っていきます。芸術思想を覚えるというよりも、理解を目的に読んでいきましょう。

1 ルネサンスの芸術

ルネサンス **19** は西欧の歴史的転換を象徴したもので、特徴は三点あります。「人間中心主義」「古典主義 **20**」「技術革新」です。

[人間中心主義]	[古典主義]	[技術革新]
		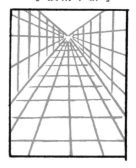
	均整・調和・シンメトリー **21** を特徴とする	遠近法 **22**

神に隷属していた中世から、非キリスト教社会を見直すことで、「人間」というものに価値を見出したのがルネサンスであった。

➡ルネサンス三大巨匠
レオナルド゠ダ゠ヴィンチ／ミケランジェロ／ラファエロ

❷ 近世芸術

16〜18世紀の近世芸術では、「 バロック ㉓ 」「 ロココ ㉔ 」「 新古典主義 ㉕ 」と続きます。ここでは流れと意味を把握しましょう。

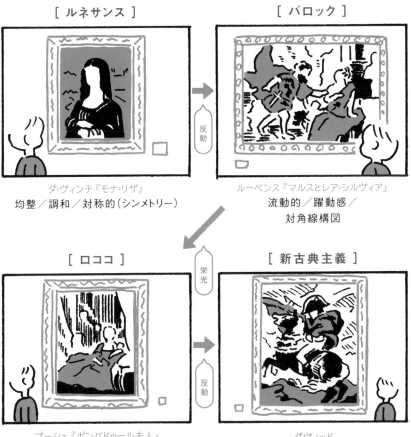

[ルネサンス]

ダ=ヴィンチ『モナ=リザ』
均整／調和／対称的（シンメトリー）

[バロック]

ルーベンス『マルスとレア=シルヴィア』
流動的／躍動感／
対角線構図

[ロココ]

ブーシェ『ポンパドゥール夫人』
豪華絢爛／優美・繊細／ルイ15世時代

[新古典主義]

ダヴィッド
『ベルナール峠からアルプスを越えるボナパルト』
写実的／理性的／フランス革命

※「バロック」「新古典主義」は、音楽でいうところと意味や時期が異なるので注意してください。

③ 近代の芸術

19世紀近代の芸術は **ロマン主義** 26 から始まります。それは **市民革命** 27 や **産業革命** 28 を経て個人の自由が拡張された時期と重なります。

[市民革命]

自由だ〜!!

市民が中心となる時代

[ロマン主義]

わかる〜!!

これだ〜!!

ドラクロワ『民衆を導く自由の女神』
人間本来のあり方を尊重しようとする立場

時代の流れがロマン主義をつくったともいえる。

そこから近代の芸術は激しく反動をくり返します。

[ロマン主義]

近代的自我

理想論

夢物語

ロマン主義は非現実的理想論でもあるために、求めようとしても得られない。

[写実主義 29 ／ 自然主義 30]

自然の荒々しさをありのままに描こう

美しいと思うものをありのままに描こう

反発

クールベ『波』／ミレー『落穂拾い』

写実主義は、現実を美化することなく、社会の不合理さや貧困、争い、自然の厳しさなどを、ありのまま作品にする。自然主義は、雄大な自然や農民の生活などを真剣に捉え、芸術対象とする。

反発　　　　発展

[象徴主義 31]　　　[印象主義 32 （印象派）]

見えない内面を描こう

見えるものを使って見えない何かを表現しようとした絵画。幻想的。

目から心に映った色を描いてみよう

発展

目に映る色彩を重ねるだけなので、輪郭がなくぼんやりとする。

クリムト『接吻』

モネ『日傘を差す女』

❹ 現代の芸術へ

20世紀の芸術は、**モダンアート** ㉝ という名で呼ばれる様々な芸術活動から始まり、現代の大衆化された芸術に移行します。

[**キュビスム** ㉟]

ピカソ
『青い帽子の女』
三次元を二次元
平面に再構成した
もの。

[**アバンギャルド** ㉞]

芸術の革命だ〜
革新的だ〜

20世紀前半の前衛的な芸術を指す。20世紀の芸術の大転換はここから始まる。

影響

＋

[**ダダイズム** ㊱]

第一次世界大戦のショック
科学技術の不信
未来への虚無感
すべてを否定してやる〜!!

デュシャン『泉』
芸術・美学を否定した芸術は、あえて役に立たず意味が分からないものを目指そうとした。

影響

＋

[**シュールレアリスム** ㊲]

「無意識」の発見
「理性」の否定
現実をこえた現実を描いてやる〜!!

影響

ダリ『記憶の固執』
自分たちの見ている現実が本当の現実とは限らない。その見えない本当の現実を描こうとした。

[ポップアート 38]

アンディ・ウォーホル『スープ缶』
大衆社会を象徴するモノを素材にして何で
もアートにする。

[複製技術時代の芸術 30]

> な〜んだ
> 写真で
> 見たこと
> あるやつだ

複製にあふれる大衆社会では、作品から
アウラ 40 が失われる。

美術のお話はここまでです。次からは音楽に話を移行させていきますが、同じ表
現でも美術と音楽で意味が微妙に異なることがありますので、理解を混同させな
いように気をつけてください。

9-3 西欧音楽史の流れ
—時代に合わせて求める音も変わる—

ここからは西欧音楽の流れを追っていきます。くり返しますが、日本近代文学と西欧近代美術と西欧近代音楽では、同じ表現でも意味が異なる場合が多いので注意してください。キーワードと照らし合わせながら区別して読んでいきましょう。

1 近世の音楽

1600年ごろからバッハの死去する(1750年)**までを目安とした時代**を、音楽史では **バロック** ㊶ **時代**といいます。バロックとはもともと後世の人が名付けた「歪(ゆが)んだ真珠」という否定的な意味を持つ言葉で、派手で大げさな装飾を嫌ってのことでしたが、さらに後世においては逆に尊ばれたようです。

バロック = 歪んだ真珠

均整がとれていない。左右非対称。

↓

バロック芸術

左右非対称・流動的・豪華

バッハの死(1750年)**からベートーベンの死**(1827年)**までを目安とした時代は、古典派時代**といいます。もちろん当時の人々が自らの音楽を「古典」とはいいません。のちの世の人が当時を賞賛して、「古典」と名付けたのです。

[バロック音楽（before）]

音楽は教会や宮廷のためにあるものであり、
大きい会場や大人数で演奏するものではなかった。

➡ 主な作曲家
バッハ／ヴィヴァルディ

[古典派音楽 42 （after）]

ジャーンジャジャーン

18世紀からウィーンを中心に、大きな会場で 交響曲 43 を
くり広げるようになる。音楽の大衆への普及にもつながった。

➡ 主な作曲家
ハイドン／モーツァルト／ベートーベン

② 近現代の音楽

19世紀から20世紀にかけて、音楽も**ロマン派時代**に突入します。今回は当時の音楽家たちが、自らをロマン派と称していたようです。

[**ロマン派音楽** 44]

19世紀の近代化・市民社会に合わせた形で、
音楽も人間の精神を表現しようとしたといえる。

➡ **主な作曲家**
ショパン／シューマン／ドビュッシー

現代では音楽はすっかり大衆のものとなり、**サブカルチャー** 45 が **メインカルチャー** 46 に変わりつつあるようです。

[メインカルチャー（高尚文化）]

まじめですが
なにか？

クラシック音楽／伝統的な芸術

[**カウンターカルチャー** 47 （反動文化）]

今この世の中を
ぶっこわせ
イエーイ!!

ロック 48 ／フォークソング

[サブカルチャー（大衆文化）]

今じゃこっちが
主流だよ〜!!

ポップス 49 ／アニメソング

以上で芸術についてのお話、さらには本書すべてのお話が終了しました。何度も読み返して、知的に楽しんでいただけたら幸いです。そして今後本書が、「初見の文章」や「かつて読破しようと思って挫折した文章」を読むときの理解の手助けになれれば、何よりの幸せです。

KEYWORD & KEYPERSON

重要用語と重要人物を掘り下げる

近代日本文学では、理想主義である「ロマン主義」への反動から現実を突き付ける「自然主義」へ、その反動から「反自然主義」が興りました。西欧美術では、貴族中心の「ロココ」への反動から民衆中心の「ロマン主義」へ、その行き着く先に「印象派」が興りました。西欧音楽では、宮廷音楽の「バロック」への反動から大衆音楽の「古典派」「ロマン派」へ、さらに現代では様々な音楽カルチャーが興っています。

※これまでのChapterですでに登場したワードは、簡単な意味のみ再掲しています。

9-1
日本近代文学の流れ
近代化していく時代が文学に影響を与えた

KEYWORD

---

❶ 戯作文学
popular literature

江戸時代後期に流行した通俗小説などの読みものの総称。

➡江戸時代や明治初期において小説は、漢詩や和歌よりも品格の劣るものとして捉えられていた。日本において、これが一芸術ジャンルにまで高められたのは、写実主義の登場からであった。明治時代の代表作は仮名垣魯文『安愚楽鍋』。

❷ 啓蒙思想 （明治近代文学）
enlightenment

人々に西欧近代化の思想を教え、広めようとすること。

➡代表作は福沢諭吉『学問のすゝめ』、中村正直『西国立志編』など。

❸ 政治小説
political fiction

明治初期の政治思想の啓蒙や普及を目的とした小説。

➡明治10年代の自由民権運動（旧藩閥政治に対抗して民主政治を求める政治運動）にともなって生まれた。代表作は矢野龍渓『経国美談』、東海散士『佳人之奇遇』、末広鉄腸『雪中梅』など。

❹ プロパガンダ
propaganda

政治的意図に基づいて多くの人々に働きかける宣伝。

❺ 近代化 　◪Chapter8
西欧近代の価値観である、合理主義や資本主義や国民国家主義、並びに科学文明を取り入れること。

❻ 写実主義 （明治近代文学）
realism

庶民の日常生活と心理をありのままに描き出そうとする立場。

➡政治活動のプロパガンダに利用された当時の小説への反発と、イギリス・ロシアの写実主義の影響から生まれた。のちの日本近代文学の方向を位置づけた。代表作は坪内逍遙『小説神髄』『当世書生気質』、二葉亭四迷『小説総論』『浮雲』など。

❼ 言文一致

colloquial style

書き言葉を、文語体ではなく話し言葉に近い口語体で表現しようとすること。明治以降に言文一致運動が高まった。

❽ 復古主義

reactionism

過去の体制や状態のほうが現在より優れていると考え、その状態に戻ろうとする立場。

❾ 擬古典主義 （明治近代文学）

pseudo-classicism

江戸以前の古典文学や文化に回帰する文学運動。

➡1885年、尾崎紅葉や山田美妙らが文学結社である硯友社をつくり、『我楽多文庫』を発刊。代表作は尾崎紅葉『二人比丘尼色懺悔』『金色夜叉』、幸田露伴『風流仏』『五重塔』など。

❿ 伝統

tradition

古くからあるものを今に受け継ぎ残すこと。

➡明治日本では、急激な欧化によってかつての生活習慣や風習が失われていくことへの反動から、明治15年前後から急速に伝統意識が強まっていった。また、国民国家主義政策も人々の伝統意識を強めていった。それが復古主義や擬古典主義につながっていく。

⓫ 近代的自我 （▶Chapter2・8）

集団により操られても揺らぐことなく、個人として決断・行動する理想的な自己。

⓬ ロマン主義 （明治近代文学）

romanticism

近代的自我を理想とする立場。

➡ロマン主義は極論すると理想主義だが、近代西欧人にとっての理想はローマ人（だからローマン主義）の自由な自我であるのに対し、近代日本人にとっての理想は近代西欧人の確固とした近代的自我であった。代表作は森鷗外『舞姫』、樋口一葉『たけくらべ』『にごりえ』、泉鏡花『高野聖』など。

⓭ 自然主義 （明治近代文学）

naturalism

人間の醜い現実をさらけ出す立場。

➡対象の客観的描写を目指す西欧の自然主義とは異なり、人間や自己の醜い内面を告白する立場となってしまった。主に自己の経験を通してさらけ出す私小説の形をとる。代表作は島崎藤村『破戒』、田山花袋『蒲団』など。

⓮ 反自然主義

antinaturalism

人間が持つ醜い現実以外の美や個性を見出す立場。

➡醜い内面ばかりを強調する自然主義に反発して、様々な角度から人間を見出そうとした。余裕派・耽美派・白樺派・新現実主義などに分かれる。

⓯ 余裕派

世俗的な現実から一歩距離をとり、ゆとりを持とうとする立場。

➡もとは夏目漱石とその一派の立場だったが、やがて反自然主義の立場のひとつと捉えられるようにもなった。代表作は正岡子規『ホトトギス(俳句雑誌)』、森鷗外『青年』『高瀬舟』、夏目漱石『坊っちゃん』など。

⓰ 耽美派

極度にまで美を追求する立場。

➡もともと19世紀の英仏における芸術上の立場だが、日本では反自然主義の一派となった。代表作は永井荷風『ふらんす物語』、谷崎潤一郎『刺青』『痴人の愛』など。

⓱ 白樺派

人間の自由と理想を尊重する立場。

➡武者小路実篤らが中心となって創刊した雑誌『白樺』がもとになっている。反自然主義のひとつであり、大正時代を代表する大一派。代表作は武者小路実篤『友情』、志賀直哉『暗夜行路』『城の崎にて』、有島武郎『或る女』など。

⓲ 新現実主義

現実の本質をつかみ表現する立場。

➡芥川龍之介らが関与した雑誌『新思潮』の文学的思想がもとになっている。代表作は芥川龍之介『羅生門』『戯作三昧』『鼻』、菊池寛『父帰る』、山本有三『路傍の石』『真実一路』など。

> **9-2**
> **西欧美術史の流れ**
> 時代に合わせて求める美も変わる

KEYWORD

⓳ ルネサンス (◧Chapter1・2)

14〜16世紀における人間性(人間らしさ)回復を目指す運動。

⓴ 古典主義

classicism

古代ギリシア・ローマの作品を規範とする立場。

➡ルネサンス期の美術における中心価値で、調和のとれた形式美が理想とされる。

㉑ シンメトリー

symmetry

左右のつり合いがとれている状態。

➡古典主義の美術においては、均整のとれたシンメトリーの配置が好まれた。

㉒ 遠近法

perspective

絵画や図に遠近感を持たせる技術。

➡主体が見ている通りに(写実的に)、遠景や近景の距離感を平面で表すことが可能になった。

㉓ バロック

baroque

16世紀末から18世紀前半における、動的で自由な芸術様式。

➡均整のとれたルネサンス古典主義に対して、均整が崩れるほど動的な表現が求められた。均整が崩れた「歪んだ真珠」が語源。

㉔ ロココ

rococo

18世紀における、優美で繊細な芸術様式。

➡バロックと新古典主義の中間の一時期、貴族社会の栄華を象徴した優美な装飾が好まれた。

㉕ 新古典主義

neoclassicism

18世紀から19世紀における、ギリシア・ローマ時代の荘厳で均整のとれた芸術表現をふたたび尊重する立場。

➡18世紀までの、バロックやロココの表面的でアンバランスな芸術表現への反発と、ギリシア・ローマ時代の民主社会へのあこがれから、古典主義が復活した。

㉖ ロマン主義　（西欧近代芸術）

romanticism

18世紀末から19世紀初頭における、権威に反対して個人の自由を求める立場。

➡当時の芸術における権威であった、新古典主義に対抗する構図で西欧のロマン主義は活躍した。それは当時における、王国という社会的権威に対抗した市民革命の時代と重なるものであった。

㉗ 市民革命　（▶Chapter1・7）

市民階級が国家権力をくつがえし、政治的権利をはじめとした国家にかかわる権利および自由や平等などを手に入れる革命。

㉘ 産業革命　（▶Chapter1・6）

18世紀後半から19世紀前半にかけて起こった、生産技術の発達による産業や社会の大きな変革。19世紀からの近代化のきっかけとなる。

㉙ 写実主義　（西欧近代芸術）

realism

19世紀中ごろにおける、主観を排して、現実を客観的にあるがままに表現する立場。

➡個人の自我や情緒を尊重しすぎて理想主義に陥ったロマン主義への反動から生まれた。今まで目にも止まらなかった農村の日常風景を芸術の対象としたのも特徴的である。

㉚ 自然主義 〈西欧近代芸術〉

naturalism

自然の事物を忠実に描写する立場。

➡写実主義から派生したもの。ロマン主義のような自我や理想ではなく、自然そのものを芸術の対象としたところが当時画期的であった。ちなみに文芸上の自然主義は、人間の現実をありのままに描く立場なので注意したい。

㉛ 象徴主義

symbolisme〈仏〉

19世紀末から20世紀における、内面的な世界を象徴的に表す芸術的立場。

➡客観的世界しか描かない写実主義や自然主義に反発して生まれた。

㉜ 印象主義

impressionnisme〈仏〉

19世紀末から20世紀における、目に映った光の色彩をそのまま映し出して表現する立場。

➡写実主義の流れではあるが、既存の写実主義の手法に反して存在した。

㉝ モダンアート

modern art

主に20世紀初頭から第二次世界大戦前における、新しい美術の流れ全般。

➡大戦以降の現代美術はコンテンポラリーアート（contemporary art）と呼ばれることが多い。

㉞ アバンギャルド

avant-garde〈仏〉

これまでの伝統や権威に反逆して新しい表現形式を求めるあり方。

➡もともとは軍隊の前衛（先頭に立って戦う少数精鋭部隊）を意味するフランス語。それが第一次世界大戦後の欧州において、革新的な芸術を求めた芸術家を指すようになった。

㉟ キュビスム

Cubism

20世紀前半における、様々な角度から見た立体的な形を、一枚の板に平面的に表現するあり方。

➡ひとつの視点だけをもとにする遠近法的なあり方に対抗した。ピカソが有名。

㊱ ダダイズム

Dadaïsme〈仏〉

20世紀前半における、人間の理性や文明を否定した芸術のあり方。

➡人間の理性が築き上げたヨーロッパ文明が第一次世界大戦によって廃墟になってしまった姿を見て、人間の理性そのものを否定するようになった。

※〈仏〉：フランス語を表す。

㊲ シュールレアリスム

surréalisme〈仏〉

20世紀における、理性をしりぞけた先の潜在意識を表現しようとする超現実主義。

➡ダダイズムを受け継ぎつつフロイトの精神分析の影響も受けて、芸術の革新を目指した。

㊳ ポップアート

pop art

20世紀後半における、大衆消費社会を象徴するものを題材にした芸術。

➡大量生産されたスープの缶詰の絵や、大衆に流行している女優の写真を用いるなど、戦後のアメリカを象徴した芸術といえる。

㊴ 複製技術時代の芸術

art in the age of mechanical reproduction

20世紀における、複製技術の発達によってあふれた複製の芸術作品。

➡ドイツの思想家ベンヤミンの著書名。現代人の芸術とのかかわりをあらわす。複製のあふれる現代において、オリジナルの作品が持つ権威（アウラ）が失われ、芸術と人間との主体的なかかわりも失われてしまったとされる。

㊵ アウラ

aura

オリジナルの作品の持つ近寄りがたさ・遠さを感じさせる権威性や崇高性。

➡ドイツの思想家ベンヤミンの提唱した芸術についての概念。生体エネルギーの「オーラ」と区別して「アウラ」と呼ぶ。

※〈仏〉：フランス語を表す。

9-3
西欧音楽史の流れ
時代に合わせて求める音も変わる

KEYWORD

㊶ バロック （音楽史）

baroque

17世紀初頭から18世紀中ごろにおける西欧音楽。

➡このころの音楽は、教会や宮廷に「捧げるためのもの」が主流であった。バッハ、ヴィヴァルディが有名。

㊷ 古典派音楽

classical period music

18世紀後半から19世紀初頭における西欧音楽。

➡のちの世の人がこの時代の音楽を模範としたために、この時代の音楽が「古典」となった。ハイドン、モーツァルト、ベートーベンが有名。クラシック音楽（西欧の伝統的な音楽全般）とはまた異なる。

㊸ 交響曲

symphony

管弦楽（オーケストラ）によるソナタ形式（提示・展開・再現の楽曲形式）の大規模楽曲。

➡「完全なる協和」などの意味を持つ「シンフォニア」が語源。独奏楽器のない点が協奏曲（concerto）とは異なる。

㊹ ロマン派音楽

romantic music

19世紀西欧におけるロマン主義の影響を受けた音楽。

➡ロマン主義の影響下だけあり、個人の主観や情緒を表出する作品が生まれた。ショパン、シューマン、ドビュッシーが有名。

㊺ サブカルチャー

subculture

主流の文化とは異なる、少数派に支持される文化。

➡たとえ多数に支持されようとも、ある社会の体制にとって認められないならばサブカルチャーであり、逆に体制に公認さえされればメインカルチャーになるといえる。たとえば日本のアニメは20世紀ではサブカルチャーだったが、21世紀では世界的に支持され国家も支持したため、メインカルチャーになれた。

㊻ メインカルチャー

main culture

ある社会で支配的な文化であり、知性や教養を向上させる文化。

➡メインカルチャーは、ある社会において必要な文化であり、その社会の構成員誰もが備えるべき教養といえる。たとえば和食の文化は日本にとって必要であり、国民誰もが知るべき教養といえる。

㊼ カウンターカルチャー

counterculture

1960年代後半から70年代前半における、主流の体制や生き方に対抗する価値観を持った文化。

➡1960年代のアメリカの若者文化が代表的。そこには当時における黒人解放運動や女性解放運動、さらにはベトナム戦争への反対など、反体制の運動がさかんだったことが背景として挙げられる。

㊽ ロック

rock music

20世紀後半からの、若者向けの大衆音楽のジャンル。

➡明確な定義は存在しないが、エレキギターを主楽器にした荒々しい楽曲で、若者向けの歌詞の曲といえばよいか。これもサブカルチャー、カウンターカルチャーからメインカルチャーの地位に躍り出た文化といえる。

㊾ ポップス

popular music

クラシック音楽以外の大衆音楽の総称。

➡「ポップス」という言葉は和製英語にすぎない。これもすっかりメインカルチャーといえる。

もっと教養を深めたい人のための
ブックガイド

本書を最後まで読んでくださり、ありがとうございます。本書を読んだことをきっかけに、きっとさまざまな本をもっともっと読みたくなったのではないでしょうか。本書で学んだ、背景知識となる「教養」は、より高度な知を獲得するための武器になります。ここでは、各章のテーマをもっと教養を深めたい人におすすめの本を紹介します。ここで紹介するほとんどの本は、電子書籍でも販売されているため、たとえ絶版になっても入手が可能です。ぜひ参考にしてみてください。

Chapter.1 歴史

つぎに読むのにおすすめの本

＼ イラスト図解ものの傑作にして頂点 ／
『哲学用語図鑑』

著者 **田中 正人** 　編集・監修 **斎藤 哲也** 　出版社 **プレジデント社**

現時点では電子書籍化されていないのですが、この本は何十年も読まれ続けると確信していますので、まずはこちらをおすすめします。今や世界中で翻訳出版されている名著です。哲学を通して歴史の流れも理解することができるので、あえて歴史の章のおすすめに用意しました。

Chapter.1 歴史

さらに深めるのにおすすめの本

＼ 知の巨人の一人が送る大作 ／
『哲学と宗教全史』

著者 **出口 治明** 　出版社 **ダイヤモンド社**

450ページ以上の大作ですが、飽きることなく読み進められる傑作です。出口治明氏の著作はどれも素晴らしいのですが、本書もまた何十年と読まれ続けるでしょう。ヒトを学ぶうえで、哲学と宗教の流れを押さえることは必須だと思い知ります。

つぎに読むのにおすすめの本

\ いちばんやさしい哲学かもしれない /

『すっきりわかる! 超訳「哲学用語」事典』

著者　**小川 仁志**　　出版社　**PHP研究所**

哲学嫌いが哲学好きになるほどの超訳です。これは私自身も苦しみましたが、本質からズレずにしかもみんなが納得できる一言をひねり出すっていうのは本当に難しいのですよ。それを軽々とやってのける小川仁志氏には頭が下がります。

さらに深めるのにおすすめの本

\ 良き生と良き死のためにこの本を /

『「私」のための現代思想』

著者　**高田 明典**　　出版社　**光文社**

自殺願望を持った人のために、哲学を通して、「私」の「生」と「死」について考えてもらうために書かれた名著です。現代思想を概観した本は多く出されていますが、高田明典氏の著作にはそこに「物語」を感じます。少々難しめですが、是非手にとってください。私は心打たれました。

つぎに読むのにおすすめの本

\ 言語学といえばソシュールから /

『コトバの謎解き ソシュール入門』

著者　**町田 健**　　出版社　**光文社**

「近代言語学の父」ソシュールの言語学を学ぶ入門書です。入門とはいっても初心者には少々歯ごたえがあるかもしれませんが、言語と世界との関わりを知るうえで必読かと思われます。深く首をつっこみすぎずに言語学を学びたい方は、町田健氏の著作はどれもおすすめできます。

＼ 言語と脳のかかわりを追う ／

『言葉をおぼえるしくみ ―母語から外国語まで』

著者 **今井 むつみ／針生 悦子**　　出版社 **筑摩書房**

母語や外国語を習得するメカニズムを、さまざまな実験を通して解説してくれるため、本来難解なものがかなり理解しやすいものになっています。今井むつみ氏の著作は、特に教育に関わるお仕事に就かれている方は是非お読みになるとよいかと思います。生徒への接し方や言葉遣いが少し変わります。

＼ 心理学がこれ一冊でこの分かりやすさ ／

『図解 心理学用語大全　人物と用語でたどる心の学問』

著者 **田中 正人**　　監修 **齊藤 勇**　　出版社 **誠文堂新光社**

1章歴史のおすすめでご紹介した『哲学用語図鑑』の心理学版です。心理学用語・心理学者・心理学史、全てこの一冊でまかなえます。田中正人氏の本は本当によくできています。あのイラストでアニメ化してほしいです。

＼ ヒトとセカイの見方が変わる ／

『生き延びるためのラカン』

著者 **斎藤 環**　　出版社 **筑摩書房**

精神分析学者ジャック・ラカンの難解な理論をかなり分かりやすく解説してくれます。しかし、一読だけでは分かりきれません。何度も読み返してみてください。分かると何度も目からウロコが落ちます。斎藤環氏の本を読み漁るのも楽しいですよ。

＼ 構造主義から文化を学ぶ ／

『はじめての構造主義』

著者 **橋爪 大三郎**　　出版社 **講談社**

文化人類学のレヴィ・ストロースは哲学の構造主義社会の一人として有名です。本書は構造主義を紹介するうえで、レヴィ・ストロースの功績を分かりやすく説明してくれていますので、こちらをおすすめします。ついでに構造主義も学べます。

＼ 当たり前を疑うために ／

『文化人類学の思考法』

編集 **松村 圭一郎／中川 理／石井 美保**　　出版社 **世界思想社**

文化人類学を学びながら、常識や当たり前を疑う視点を持つ考え方を養う書となります。価値観が多様であるからこそ、自分の価値観を絶対視しがちな現代において、本書は多くの人を目覚めさせてくれると思います。

＼ ニュース・教養といえばやはりこの方 ／

『新版 知らないと損する 池上彰のお金の学校』

著者 **池上 彰**　　出版社 **朝日新聞出版**

言わずと知れた、難しくおかたい話を柔らかい語り口でやさしく噛みくだいて教えてくれる達人です。多くの著作がありますが、本書ももちろんロングセラーになりました。まずは本書で基本を押さえるとよいかと思います。

さらに深めるのにおすすめの本

\ 経済の歴史は現代の経済につながる /

『ヴェニスの商人の資本論』

著者 **岩井 克人**　　出版社 **筑摩書房**

経済の教養を手に入れるうえで、岩井克人氏は外すことができないと考えます。今では高校の国語の教科書にも載っている方です。本書で最新の経済事情を手に入れることはできませんが、最新の経済事情を正しく理解するための素養を手に入れることができます。

つぎに読むのにおすすめの本

\ ざっくり分かるのにしっかり分かる /

『必ずわかる！「〇〇主義」事典』

著者 **吉岡 友治**　　出版社 **PHP研究所**

おそらく、今回おすすめする書籍の中で、一番ライトなのが本書だと思います。活字の苦手な人がものすごく嫌がるさまざまな〇〇主義を、ずばっと、そして少しコミカルに断言してくれます。それでいてコンパクトな解説は秀逸です。

さらに深めるのにおすすめの本

\ 現代社会のありようを鋭くえぐる /

『自由とは何か』

著者 **佐伯 啓思**　　出版社 **講談社**

哲学者佐伯啓思氏の語る自由論です。佐伯啓思氏の思想はどれも読みごたえがあり、しかも読み手をはっとさせる「気づき」を与えてくれます。本書の自由論も然りです。現代における自由とはなにか、読むとはっと気づきます。知性に深みを求める方は是非。

\ 日本の歴史をまずはサクッと /

『イラストでサクッと理解 流れが見えてくる日本史図鑑』

著者 **かみゆ歴史編集部** 出版社 **ナツメ社**

本稿作成時にはまだ電子書籍化されていませんが、まずされるでしょう。いやしてください。日本史教養系としては文句なしの良書だと思います。同シリーズの『世界史図鑑』も然りです。上手にまとめあげられています。まさにサクッと。

\ 日本というものを考える機会に /

『日本辺境論』

著者 **内田 樹** 出版社 **新潮社**

日本とは何かを真剣に考えるうえで、この本は外せない傑作だと思います。それから、同氏の『私家版・ユダヤ文化論』も傑作です。ちなみに、内田樹氏の著作における、傍点の打ち方が個人的にはたまりません。

\ 美術の歴史を名画とともに /

『カラー版 1時間でわかる西洋美術史』

著者 **宮下 規久朗** 出版社 **宝島社**

まだ電子書籍になっていません。出版社さま是非電子書籍化をお願いします。西洋美術史を学びながら、その時代の代表作となる作品をカラー写真で見ることができる傑作です。1時間で読むなんてもったいない。是非何日もかけてじっくりと味わってください。

＼ 近代文学の名著を紹介してくれる名著 ／

『名著入門 日本近代文学50選』

著者 **平田 オリザ**　　出版社 **朝日新聞出版**

本稿作成のごく直前に出版されたものを本屋さんで見つけて痺れました。ご紹介できてよかった。日本近代文学のたどる激しくも哀しい「物語」が、近代文学作品の紹介を通して語られます。作品の一部引用も用意してあるため、作品ごとの文体や音韻も味わえます。

自然科学の教養を
ビジュアル図解で大解剖！

［ 自然科学編も大好評発売中 ］

世界でいちばんやさしい
教養の教科書
［自然科学の教養］

［著］児玉克順　［絵］fancomi

索引
INDEX

索引
INDEX

索引
INDEX

参考文献リスト
REFERENCES

Chapter.1 歴史

- 河合 隼雄『イメージの心理学』青土社
- 高田 明典『世界をよくする現代思想入門』筑摩書房(ちくま新書)
- 高田 明典『「私」のための現代思想』光文社(光文社新書)
- 田中 正人(著)／斎藤 哲也(編)『哲学用語図鑑』プレジデント社
- 中村 雄二郎『臨床の知とは何か』岩波書店(岩波新書)
- 中山 元『高校生のための評論文キーワード100』筑摩書房(ちくま新書)
- 西尾 幹二『個人主義とは何か』PHP研究所(PHP新書)
- 橋本 治『「わからない」という方法』集英社(集英社新書)

Chapter.2 哲学

- 小川 仁志『すっきりわかる！ 超訳「哲学用語」事典』PHP研究所(PHP文庫)
- 内田 樹『寝ながら学べる構造主義』文藝春秋(文春新書)
- 木田 元『反哲学史』講談社(講談社学術文庫)
- 甲田 烈『手にとるように哲学がわかる本』かんき出版
- 難波江 和英／内田 樹『現代思想のパフォーマンス』光文社(光文社新書)
- 貫 成人『哲学マップ』筑摩書房(ちくま新書)
- 橋爪 大三郎『はじめての構造主義』講談社(講談社現代新書)
- 花田 清輝『復興期の精神』講談社(講談社文芸文庫)
- 日高 敏隆『動物と人間の世界認識－イリュージョンなしに世界は見えない』筑摩書房(ちくま学芸文庫)
- 船木 亨『現代思想史入門』筑摩書房(ちくま新書)
- 松浪 信三郎『サルトル』勁草書房

Chapter.3 言語

・今井 むつみ／針生 悦子『言葉をおぼえるしくみ―母語から外国語まで』筑摩書房（ちくま学芸文庫）
・井筒 俊彦『井筒俊彦全集 第十一巻 意味の構造』慶應義塾大学出版会
・内田 樹『寝ながら学べる構造主義』文藝春秋（文春新書）
・河野 哲也『暴走する脳科学』光文社（光文社新書）
・酒井 邦嘉『言語の脳科学―脳はどのようにことばを生みだすか』中央公論新社（中公新書）
・白井 恭弘『ことばの力学―応用言語学への招待』岩波書店（岩波新書）
・丸山 圭三郎『言葉とは何か』筑摩書房（ちくま学芸文庫）
・町田 健『言語世界地図』新潮社（新潮新書）
・丸山 圭三郎『言葉と無意識』講談社（講談社現代新書）
・薬師院 仁志『日本語の宿命―なぜ日本人は社会科学を理解できないのか』光文社（光文社新書）

Chapter.4 心理

・河合 隼雄『イメージの心理学』青土社
・河合 隼雄『無意識の構造』中央公論新社（中公新書）
・斎藤 環『生き延びるためのラカン』筑摩書房（ちくま文庫）
・サトウタツヤ／高砂 美樹『流れを読む心理学史―世界と日本の心理学 』有斐閣（有斐閣アルマ）
・田中 正人（著）／斎藤 哲也（編）『哲学用語図鑑』プレジデント社
・中沢 新一『芸術人類学』みすず書房
・中村 雄二郎『臨床の知とは何か』岩波書店（岩波新書）
・日高 敏隆『動物と人間の世界認識―イリュージョンなしに世界は見えない』筑摩書房（ちくま学芸文庫）

参考文献リスト
REFERENCES

Chapter.5 文化

・饗庭 孝男『日本の隠遁者たち』筑摩書房（ちくま新書）
・今村 仁司『近代の思想構造―世界像・時間意識・労働』人文書院
・落合 洋文『生態的社会論・序説―協力社会を実現するために』ナカニシヤ出版
・加藤 周一『雑種文化―日本の小さな希望―』講談社（講談社文庫）
・黒崎 政男『デジタルを哲学する―時代のテンポに翻弄される〈私〉』PHP研究所（PHP新書）
・桑子 敏雄『環境の哲学―日本の思想を現代に活かす』講談社（講談社学術文庫）
・関根 政美『多文化主義社会の到来』朝日新聞社（朝日選書）
・藤井 貞和『言葉と戦争』大月書店
・渡辺 公三『闘うレヴィ＝ストロース』平凡社（平凡社新書）

Chapter.6 経済

・池上 彰『新版 知らないと損する 池上彰のお金の学校』朝日新聞出版（朝日新書）
・岩井 克人『二十一世紀の資本主義論』筑摩書房（ちくま学芸文庫）
・廣松 渉『今こそマルクスを読み返す』講談社（講談社現代新書）
・東谷 暁『経済学者の栄光と敗北―ケインズからクルーグマンまで14人の物語』朝日新聞出版（朝日新書）
・水野 和夫『資本主義の終焉と歴史の危機』集英社（集英社新書）

Chapter.7 社会

・大澤 真幸『自由という牢獄―責任・公共性・資本主義』岩波書店
・大庭 健『所有という神話―市場経済の倫理学』岩波書店
・小坂井 敏晶『増補 民族という虚構』筑摩書房（ちくま学芸文庫）
・佐伯 啓思『自由とは何か』講談社（講談社現代新書）
・宮島 喬『ヨーロッパ市民の誕生―開かれたシティズンシップへ』岩波書店（岩波新書）
・山崎 正和『柔らかい個人主義の誕生―消費社会の美学』中央公論新社（中公文庫）
・吉岡 友治『必ずわかる！「○○主義」事典』PHP研究所（PHP文庫）

Chapter.8 日本

・会田 雄次『日本人の意識構造』講談社(講談社現代新書)
・饗庭 孝男『日本の隠遁者たち』筑摩書房(ちくま新書)
・大野 晋『日本語について』岩波書店(同時代ライブラリー)
・柏木 博『ファッションの20世紀—都市・消費・性』NHK出版(NHKブックス)
・加藤 周一『雑種文化—日本の小さな希望—』講談社(講談社文庫)
・小坂井 敏晶『増補 民族という虚構』筑摩書房(ちくま学芸文庫)
・福田 和也『教養としての歴史 日本の近代〈上下〉』新潮社(新潮新書)
・森本 哲郎『サムライ・マインド—歴史をつくる精神の力とは』PHP研究所
・養老 孟司『人間科学』筑摩書房

Chapter.9 芸術

・粟津 則雄『沈黙に向き合う』青土社
・大岡 信『抽象絵画への招待』岩波書店(岩波新書)
・久保田 淳(編)／猪狩 友一、伊東 玉美、久富木原 玲、鈴木 健一、鈴木 武晴、谷 知子、堀川 貴司、山下 真史(執筆)『日本文学史』おうふう
・中川 右介『すっきりわかる！超訳「芸術用語」事典』PHP研究所
・中村 光夫『日本の近代小説』岩波書店(岩波新書)
・花田 清輝『復興期の精神』講談社(講談社文芸文庫)
・前田 英樹『絵画の二十世紀—マチスからジャコメッティまで』NHK出版(NHKブックス)

［著］ **児玉克順** KODAMA KATSUYUKI

1972年生まれ。予備校講師。28年間の現代文講師を経て、現在学校内予備校講師と高校非常勤講師として、目の前の生徒相手に研鑽を積み重ねる。大学入試の現代文で出題される様々なジャンルの難解な文章を高校生に解説する日々により、難解な理論を初学者に分かりやすく説明する能力が磨かれる。最近の悩みはいまだに笑わせるつもりが笑われること。

［絵］ **fancomi** FANCOMI

1980年生まれ。A&A青葉益輝広告制作室勤務の後独立。イラストレーターとして、ジャンルにとらわれず幅広く活動中。第3回グラフィック「1_WALL」ファイナリスト。近年は絵本制作にも取り組んでいる。

世界でいちばんやさしい
教養の教科書［人文・社会の教養］

［PRODUCTION STAFF］

ブックデザイン	野条友史＋小原範均（BALCOLONY.）
イラストレーション	fancomi
企画編集	髙橋龍之助
編集協力	半田智穂
校正	秋下幸恵　大橋直文（はしプロ）　小松アテナ（エー・トゥー・ゼット）　渡辺泰葉
校閲	西岡小央里
制作協力	土田勝之
販売担当	遠藤勇也
データ作成	株式会社 四国写研
印刷	株式会社 リーブルテック

本書は『世界でいちばんやさしい 教養の教科書』(Gakken／2019年)をもとに、一部記述を加えて再編集し、書籍化したものです。本書がみなさまの教養を豊かにするための一助となれば幸いです。